CH00767219

In un articolo apparso sulla «Stampa» nel dicembre del 1975, subito dopo la pubblicazione della *Scomparsa di Majorana*, Sciascia ha chiarito le ragioni che lo avevano spinto ad affrontare quell'enigma insoluto facendo ricorso alle parole di Camus: «"Vivere contro un muro, è vita da cani. Ebbene, gli uomini della mia generazione e di quella che entra oggi nelle fabbriche e nelle facoltà, hanno vissuto e vivono sempre più come cani". Grazie anche alla scienza, grazie soprattutto alla scienza».

Tutte le opere di Leonardo Sciascia (1921-1989) sono in corso di pubblicazione presso Adelphi.

Leonardo Sciascia

La scomparsa di Majorana

CON UN SAGGIO DI LEA RITTER SANTINI

ADELPHI EDIZIONI

Published by arrangement with
The Italian Literary Agency

© 1997 ADELPHI EDIZIONI S.P.A. MILANO

WWW.ADELPHI.IT

ISBN 978-88-459-1871-1

Anno					Edizione					
2025	2024	2023	2022		22	23	24	25	26	27

INDICE

LA SCOMPARSA DI MAJORANA   9

Uno strappo nel cielo di carta
di Lea Ritter Santini   91

LA SCOMPARSA DI MAJORANA

O nobili scienziati, io non posso rispondere ai vostri sforzi con qualcosa che sia più della morte!

VITALIANO BRANCATI, *Minutario* (27 luglio 1940)

Prediligeva Shakespeare e Pirandello.

EDOARDO AMALDI, *Nota biografica di Ettore Majorana*

I

Roma, 16-4-38 XVI

Cara Eccellenza,

Vi prego di ricevere e ascoltare il dott. Salvatore Majorana, che ha bisogno di conferire con Voi pel caso disgraziato del fratello, il professore scomparso.

Da una nuova traccia parrebbe che una nuova indagine sia necessaria, nei conventi di Napoli e dintorni, forse per tutta Italia meridionale e centrale. Vi raccomando caldamente la cosa. Il prof. Majorana è stato in questi ultimi anni una delle maggiori energie della scienza italiana. E se, come si spera, si è ancora in tempo per salvarlo e ricondurlo alla vita e alla scienza, non bisogna tralasciar nessun mezzo intentato.

Con saluti cordiali e auguri di buona pasqua

Vostro
Giov. Gentile

Questa lettera – carta intestata «Senato del Regno», sulla busta: *da parte del sen. Gentile – Urgente – A S.E. il sen. Arturo Bocchini – S.M.* – Bocchini, capo della polizia, certamente l'ebbe nelle S.M. (sue mani) lo stesso giorno in cui fu scritta. Due giorni dopo si presentò nell'anticamera del suo ufficio il dottor Salvatore Majorana. Compilò la richiesta di udienza, e nella parte del modulo in cui era la dicitura *Oggetto della visita (specificare)*, specificò: *Riferire su importanti tracce dello scomparso prof. E. Majorana. Lettera del Sen. Giovanni Gentile.*

Fu ricevuto, e forse con impazienza. Bocchini, che aveva avuto il tempo di informarsi del caso, certo se ne era fatta l'idea che l'esperienza e il mestiere gli suggerivano: che come sempre vi giocassero due follie, quella dello scomparso e quella dei familiari. La scienza, come la poesia, si sa che sta ad un passo dalla follia: e il giovane professore quel passo lo aveva fatto, buttandosi in mare o nel Vesuvio o scegliendo un più elucubrato genere di morte. E i familiari, come sempre accade nei casi in cui non si trova il cadavere, o si trova casualmente più tardi e irriconoscibile, ecco che entrano nella follia di crederlo ancora vivo. E finirebbe con lo spegnersi, questa loro follia, se continuamente non l'alimentassero quei folli che vengono fuori a dire di avere incontrato lo scomparso, di averlo riconosciuto per contrassegni certi (che sono invece vaghi prima di incontrare i familiari; e appunto i familiari, nelle loro ansiose e incontrollate interrogazioni, glieli fanno diventare certi). E così anche i Majorana erano arrivati – inevitabilmente, come tutti – al convento: che il giovane professore vi si fosse segregato. Di ciò convinti, non c'era voluto molto – avrà pensato Bocchini – a convincere Giovanni Gentile: un filosofo che però il capo della polizia non poteva trattar da filosofo.

L'esortazione a cercar nei conventi – di Napoli e dintorni, dell'Italia meridionale e centrale: e perché non anche dell'Italia settentrionale, della Francia, dell'Austria, della Baviera, della Croazia? – sarebbe insomma bastata al senatore Bocchini per mandare al diavolo il caso; ma c'era di mezzo il senatore Gentile. Dei conventi, comunque, nemmeno a parlarne: si rivolgessero, i familiari dello scomparso, al Vaticano, al Papa: il loro supplicare sicuramente sarebbe stato più efficace di una richiesta da parte della polizia italiana, dello Stato italiano. Tutto quello che il senatore Bocchini poteva fare, era di ordinare nuove e più approfondite indagini, sulla base di quelle testimonianze, di quegli indizî, che il dottor Salvatore Majorana credeva portassero alla certezza che il fratello non si era suicidato.

Il colloquio trovò, sotto la penna del segretario di Sua Eccellenza, sintesi ed esito. Sintesi mirabile, come in tutti i carteggi della nostra polizia: dove quel che a noi può sembrare – a filo di grammatica, di sintassi, di logica – fuori di regola o di coerenza, è invece linguaggio che allude o indica o prescrive. Così scrutandolo, il documento che abbiamo davanti ci dà l'impressione, senz'altro giusta, che dalla Div. Pol. (Divisione Politica?) cui era diretto e dalle questure di Napoli e di Palermo altro non si volesse che la conferma di quella che era l'ipotesi più attendibile e più sbrigativa: che il professor Ettore Majorana si era suicidato. L'esito del supplemento d'indagine vi è, insomma, già scontato.

Oggetto: Scomparsa (con proposito di suicidio) del Prof. Ettore Majorana.

Il Sig. Salvatore Majorana, fratello del Prof. Ettore Majorana ora scomparso dal 26.3 u.s., riferisce su altri particolari potuti accertare da loro stessi familiari:

Fatte le ricerche, con la collaborazione della Polizia (Questura di Napoli), a Napoli e Palermo non si è potuto venire a capo di nulla. Il Prof. Majorana erasi recato da Napoli a Palermo con proposito di suicidio (come da lettere da lui lasciate) e quindi supponevasi che fosse rimasto a Palermo. Però tale ipotesi viene ora a scartarsi col fatto che è stato rinvenuto il biglietto di ritorno alla Direzione della «Tirrenia» e perché è stato visto alle ore cinque nella cabina del piroscafo – durante il viaggio di ritorno – che dormiva ancora. Poi ai primi di aprile è stato visto – e riconosciuto – a Napoli, tra il Palazzo Reale e la Galleria mentre veniva su da Santa Lucia, da una infermiera che lo conosceva e che ha anche visto ed indovinato il colore dell'abito.

Dato ciò, e siccome i familiari sono convinti ora che il Prof. Majorana è ritornato a Napoli, si chiede da parte loro che si rifaccia lo spoglio dei cartellini d'albergo di Napoli e provincia (Majorana si scrive col primo i lungo: Majorana, onde potrebbe darsi che sia sfuggito il nome alle prime ricerche effettuate) e che la Polizia di Napoli – che è già in possesso della fotografia – intensifichi le ricerche. Possibilmente si potrebbe fare qualche indagine per vedere se abbia acquistato armi a Napoli dal 27 marzo in qua.

Colpisce subito l'evidente svista del *primo i lungo* nel nome Majorana, dove di i ce n'è solo uno (una): ma gli si può anche assegnare la funzione che di solito si assegna ai lapsus. E cioè: guardate a che folle dettaglio questi folli familiari si attaccano. Non è invece da notare come svista o errore l'*indovinato* che segue al *visto* riguardo al colore dell'abito. Si tratta di un giudizio sulla testimonianza dell'infermiera: dice di aver visto, ma ha soltanto indovinato. Peraltro, in tutta la «nota di servizio» è continuamente sottinteso l'avvertimento: badate che sono i familiari a sollecitare altre ricerche, badate che sono stati loro a raccogliere queste testimonianze; noi siamo convinti che il professore, chi sa dove e come, si è suicidato – e come *non si è potuto venire a capo di nulla* prima, così non si verrà a capo di nulla con nuove indagini.

La «nota» è attraversata da scritte grosse e impazienti. La prima, a matita viola: *Urge – conf*(erire). La seconda, a matita verde: *dire alla Div. Pol. che S.E. desidera siano intensificate le ricerche.* Queste due annotazioni sono illeggibilmente siglate. Non lo è la terza, a matita blu: *fatto.* Con ogni probabilità, i tre colori indicano il digradare gerarchico: il viola, che allora era segno di raffinatezza raffinatamente démodé (aveva usato inchiostri viola Anatole France; e un po' tutti gli scrittori, tra il 1880 e il 1930, avevano vergato quelli che i cataloghi delle librerie antiquarie chiamano «invii» con inchiostri di un viola liturgico), forse dello stesso Bocchini (uomo, a quanto allora si diceva, raffinato, spregiudicato e gaudente); il verde, di chi servilmente voleva adeguarsi all'originalità del superiore, e dunque volgarmente: forse il segretario; e infine lo scolastico, burocratico blu: del capo della Div. Pol.?

Sul verso del secondo foglio è poi, a penna, l'annotazione: *Parlato col Dr. Giorgi che ha preso nota ed ha provveduto. 23/4. ATTI.*

Appena cinque giorni dopo il colloquio del dottor Salvatore Majorana col senatore Bocchini, questa parola – *atti* – praticamente chiude il caso e lo tramanda agli archivi. Andrà più tardi a inserirsi nel fascicolo una comunicazione anonima (siglata in basso dal funzionario che ne prese visione) datata *Roma, 6 agosto 1938* (ed è da notare la mancanza dell'anno dell'Era Fascista: strana e grave omissione, se da parte di un ufficio): *Sempre a proposito di movimenti contro gli interessi italiani si prospetta in qualche ambiente, che la scomparsa del Majorana, uomo di grandissimo valore nel campo fisico e specialmente radio, l'unico che poteva seguitare gli studi di Marconi, nell'interesse della difesa nazionale, sia vittima di qualche oscuro complotto, per levarlo dalla circolazione.*[1]

1. Questa breve comunicazione eloquentemente dice della estrazione e livello della generalità dei «confidenti». Gli *ambienti* in cui allora poteva nascere il sospetto che nella scomparsa di Majorana ci fosse un intrigo spionistico *contro gli interessi italiani*, altri non potevano essere che quelli della burocrazia infima, dei portieri (categoria alla quale molto probabilmente l'anonimo «confidente» apparteneva), dei bottegai; non certo quelli dei fisici, dei diplomatici, delle alte gerarchie militari o ministeriali. Ed è facile pensare che il sospetto sia nato dopo che «La Domenica del Corriere» pubblicò l'annuncio della scomparsa: e tra i lettori di quel settimanale.

L'anonimo informatore, evidentemente specializzato a fiutare nei *movimenti contro gli interessi italiani*, era in anticipo di qualche anno; e come tutti gli anticipatori, nessuno l'avrà preso sul serio. Questo genere di informazione, nel 1938, non l'avrebbero preso sul serio nemmeno i servizi segreti tedeschi o americani; forse, appena, quelli inglesi o francesi. Per la polizia italiana, c'è da credere sia stata addirittura la pietra tombale sul caso Majorana: tanto doveva apparire pazzesca una simile ipotesi. Vero è che gli italiani favoleggiavano di scoperte lasciate da Marconi a buon punto e che avrebbero reso – in mancanza d'altro, per come si andava prendendo coscienza – invincibile l'Italia nella guerra che si temeva prossima. E specialmente si favoleggiava di un «raggio della morte» che da Roma, per esperimento, era stato lanciato a fulminare una vacca situata a riceverlo in una radura nei pressi di Addis Abeba. Ne resta memoria in quella specie di «dizionario delle idee correnti» sotto il regime fascista che è la commedia *Raffaele* di Vitaliano Brancati:

«*In Etiopia è morta una vacca!*».

«*Una vacca? In Etiopia?... E che c'è di strano?*».

«*Ma bisogna vedere perché è morta e di che cosa è morta!*».

«*E perché è morta?*».

«*Pare che Marconi abbia sperimentato in Etiopia un raggio della morte che uccide senza misericordia tutti gli animali e tutti gli uomini che incontra nella sua strada!*».

«*Ah, sì? Allora siamo a cavallo!*».

Ma era, appunto, un favoleggiare. E ben lo sapeva Arturo Bocchini.

II

Il cittadino che nulla ha mai fatto contro le leggi né da altri ha subito dei torti per cui invocarle; il cittadino che vive come se la polizia soltanto esistesse per degli atti amministrativi come il rilascio del passaporto o del portodarme (per la caccia), se i casi della vita improvvisamente lo portano ad avervi a che fare, ad averne bisogno per quel che istituzionalmente è, un senso di sgomento lo prende, di impazienza, di furore in cui la convinzione si radica che la sicurezza pubblica, per quel tanto che se ne gode, più poggia sulla poca e sporadica tendenza a delinquere degli uomini che sull'impegno, l'efficienza e l'acume di essa polizia. Convinzione che ha una sua parte di oggettività: più o meno secondo i tempi, più o meno secondo i paesi. Ma nel caso di una persona scomparsa, nell'ansietà e impazienza di coloro che vogliono ritrovarla, può anch'essere del tutto soggettiva – e dunque ingiusta. E senz'altro riconosciamo di essere anche noi ingiusti nei riguardi della polizia italiana, del modo – che ci appare svogliato e senza acutezza – in cui la polizia italiana condusse le indagini per la scomparsa di Ettore Majorana. Non le condusse affatto, anzi: lasciò che le conducessero i familiari, limitandosi – come nella «nota» è evidente – a «collaborare» (e ad un certo punto, è facile immaginarlo, a fingere di collaborare). E lo siamo anche noi, ingiusti, perché anche noi, dopo trentasette anni, vogliamo «ritrovare» Majorana – e per «ritrovarlo» non abbiamo che poche carte, e pochissime nel fascicolo della Direzione Generale di Pubblica Sicurezza a lui intestato.

Su questi pochissimi fogli riviviamo l'ansietà, l'impazienza, la delusione, il giudizio sulla inintelligenza e inefficienza della polizia che certamente allora, e più dolorosamente, e più drammaticamente, vissero i familiari di Ettore Majorana.

Ma ci sono anche le ragioni degli altri, le ragioni della polizia. Il caso era, per come definito burocraticamente «in oggetto», e dunque oggettivamente, quello di una *scomparsa con proposito di suicidio.* C'erano due lettere – una alla famiglia, l'altra ad un amico – che dichiaravano nettamente il proposito; e in quella all'amico anche il modo e l'ora in cui sarebbe stato attuato. Che poi il proposito non fosse stato attuato la sera del 25 marzo, alle undici, nel golfo di Napoli, alla polizia diceva soltanto – per esperienza, per statistica – che era stato attuato dopo e altrove. Impegnarsi a scoprire dove e quando, sarebbe stata una pura perdita di tempo. Non c'era da prevenire né da punire: il problema era solo quello di trovare un cadavere. Ora la soluzione di un tale problema era importante per la famiglia – e veniva pirandellianamente a consistere nella dolorosa e rassegnata (sempre più rassegnata negli anni) certezza, nei funerali, nei necrologi, negli abiti da lutto da indossare, nella tomba da elevare e visitare; non era importante per la polizia né, americanamente parlando, per la totalità dei contribuenti. E anche ad ammettere che Ettore Majorana non si fosse suicidato, che si fosse nascosto: il problema diventava quello di trovare un folle. Insomma: non valeva la pena « distrarre » uomini per cercare un cadavere che solo per caso poteva esser trovato o un folle che presto o tardi sarebbe stato notato e segnalato (ancora l'esperienza, ancora la statistica).

Che Majorana non fosse morto o che, ancora vivo, non fosse pazzo, non si sapeva né si poteva concepire: e non soltanto da parte della polizia. L'alternativa che il caso poneva stava tra la morte e la follia. Se da questa alternativa fosse uscita, per darsi alla ricerca di Ettore Majorana vivo e, come si suol dire, nel pieno possesso delle proprie facoltà mentali, sarebbe stata la polizia a entrare nella follia. Peraltro, nessuna polizia in quel momento, e tantomeno quella italiana, poteva essere in grado di sospettare un razionale e lucido movente nella scomparsa di Majorana; e nessuna polizia sarebbe stata in grado di far qualcosa « contro » di lui. Perché di questo si trattava: di una partita da giocare contro un uomo intelligentissimo che aveva deciso di scomparire, che aveva calcolato con esattezza matematica il modo di scomparire. Fermi dirà: *con la sua intelligenza, una volta che avesse deciso di scomparire o di far scomparire il suo cadavere, Majorana ci sarebbe certo riuscito.* Soltanto un investigatore avrebbe accettato di giocare una simile partita: il cavaliere Carlo Augusto Dupin, nelle pagine di un racconto di Poe. Ma la polizia com'era, com'è, come non può non essere... Ecco: è un po' come il discorso sul professor Cottard, sul medico, sui medici, che Bergotte fa nella *Recherche*: *È un imbecille. Ammettendo che ciò non impedisca di essere un buon medico, il che mi pare difficile, certo impedisce di essere un buon medico per artisti, per persone intelligenti ... Le malattie delle persone intelligenti per tre quarti provengono dalla loro intelligenza. Per loro ci vuole un medico che almeno si renda conto di ciò. Come volete che Cottard vi possa curare? Ha previsto la difficoltà di digerire le salse, l'imbarazzo gastrico; ma non ha previsto la lettura di Shakespeare ... Vi troverà una dilatazione di stomaco, non ha bisogno di visitarvi per trovarla, poiché l'ha già da prima negli occhi. Potete vederla, gli si riflette negli occhiali.*

Proust non era dell'opinione che Cottard fosse un imbecille; né noi vogliamo dire che la polizia da imbecillità sia affetta. Ma ci riesce impossibile immaginare che il dramma di un uomo intelligente, la sua volontà di scomparire, le sue ragioni, possano avere avuto altro riflesso, negli occhiali di un commissario di polizia, negli occhiali dello stesso Bocchini, che quello del dissenno, della pazzia.

Il resto è silenzio.

Che Mussolini, informato e sollecitato da una «supplica» della madre di Ettore e da una lettera di Fermi, abbia chiesto a Bocchini il fascicolo dell'inchiesta e vi abbia sciabolato sulla copertina un *voglio che si trovi* così poi postillato, con grafia più dimessa, da Bocchini: *I morti si trovano, sono i vivi che possono scomparire*; che sia stato sospettato il rapimento o la fuga all'estero; che del caso si sia interessato il servizio segreto; che le ricerche siano state particolarmente alacri e persino febbrili – di tutto questo altri documenti non restano, presso la famiglia, che copie della «supplica» della signora Majorana e della lettera di Fermi. Ed è possibile la «supplica» abbia avuto un certo effetto su Mussolini; ma certamente non ne ebbe la lettera di Fermi.

Siamo alla fine di luglio del 1938. Il 14 era stato pubblicato il *manifesto della razza*. Fermi si sentiva insicuro, pensava già di emigrare. E il regime era, nei suoi riguardi, in un certo imbarazzo: come Meazza nel «primato» del calcio, Fermi era nel «primato» della fisica; e poi accademico d'Italia, e il più giovane. Un nodo da sciogliere o da tagliare: e c'è da immaginare il sollievo, quando Fermi prese il Nobel senza fare il saluto romano[1] e filò negli

1. Sul mancato saluto romano di Fermi, sulla sua stretta di mano al re di Svezia, ci furono allora acri commenti sui giornali italiani. È difficile immaginare, a chi non è vissuto sotto il fascismo, i guai che potevano nascere per chi distrattamente stringesse la mano in luogo di fare il saluto romano. Ecco, ancora nella commedia *Raffaele,* quale angoscioso e insolubile problema poteva diventare l'abolizione della stretta di mano:

Stati Uniti. La lettera di Fermi, dunque, era in quel momento inopportuna, controproducente. Ed anche per come era scritta: da addetto ai lavori che si rivolge al non addetto. *Io non esito a dichiararvi, e non lo dico quale espressione iperbolica, che fra tutti gli studiosi italiani e stranieri che ho avuto occasione di avvicinare, il Majorana è quello che per profondità di ingegno mi ha*

« *Scusatemi, federale, se il re viene al mio paese, come pare debba venire, e mi porge la mano, io che cosa devo fare?* ».

« *Se vi porge la mano?... Certo, è un caso da studiarsi... Se vi porge la mano... Venite un po' qui! Supponiamo che io sia il re* ».

« *E io che cosa sono? Lo domando per sapermi regolare* ».

« *Voi siete voi stesso: il segretario politico... Come vi chiamate?* ».

« *Gorgoni* ».

« *Il segretario politico Gorgoni!... Salutatemi!... Dico, salutatemi!* ».

« *Saluto al re!* ».

« *No, no, no, no!... Voi dovete dire: saluto al duce!* ».

« *Ma voi siete il re* ».

« *Ma questo, a voi, non v'interessa! Dovete dire: saluto al duce!* ».

« *Bene, dirò così* ».

« *Rimanete col braccio levato!... Io vi porgo la mano... Ma no, no, no!... Guardate: cambiamo! Io sono voi. Io sono il segretario politico Gorgoni – osservatemi attentamente! – e voi siete il re... No: siete troppo alto! Andate a sedere! Venite voi, Scarmacca. Voi siete il re... No: io sono il re, e voi siete il segretario politico Gorgoni* ».

« *Perché devo essere Gorgoni? Io vorrei essere io stesso... davanti al re!* ».

« *E va bene. Siete voi stesso. Levate il braccio. Io vi porgo la mano, così... Voi levate ancora più su il braccio!* ».

« *E se il re, Dio ce ne scampi, crederà che io non voglia stringergli la mano per superbia, e si riterrà offeso?* ».

« *Sua Maestà il Re Imperatore non penserà mai... Insomma queste sono inezie... casi che non succedono mai... Andate a sedere!... Ma chi è che suscita questioni tanto stupide?* ».

maggiormente colpito. Capace nello stesso tempo di svolgere ardite ipotesi e di criticare acutamente l'opera sua e degli altri, calcolatore espertissimo e matematico profondo che mai per altro perde di vista dietro il velo delle cifre e degli algoritmi l'essenza reale del problema fisico, Ettore Majorana ha al massimo grado quel raro complesso di attitudini che formano il tipico teorico di gran classe... Più azzeccato, per quel che si voleva conseguire, sarebbe stato scrivere: *Voi benissimo sapete chi è Ettore Majorana...*; poiché nessuno in Italia, in quel 1938, poteva essere sfiorato dal dubbio che Mussolini non sapesse qualcosa.

È facile immaginare come tutto si sia esaurito in poche battute, durante uno dei quotidiani rapporti che il capo della polizia portava al capo del governo. Mussolini avrà domandato del caso Majorana, del punto cui erano arrivate le indagini. E Bocchini avrà risposto che si era ormai a un punto morto: nel doppio senso della polizia ormai rassegnata all'impossibilità di risolvere il caso e della convinzione sua e della polizia che il professor Majorana fosse morto. Avrà anche detto che alle normali indagini seguite alla denuncia della scomparsa, altre se ne erano aggiunte, più accurate, per raccomandazione di Giovanni Gentile: e da parte della polizia politica, di cui il duce ben conosceva ed apprezzava la sottigliezza e lo scrupolo.

Se Mussolini non si contentò, se ordinò che si cercasse ancora, se davvero disse *voglio che si trovi*, Bocchini anche questa velleità gliela avrà messa in conto della pazzia da cui, con crescente apprensione, lo vedeva ormai preso.

III

Sono nato a Catania il 5 agosto 1906. Ho seguito gli studi classici conseguendo la licenza liceale nel 1923; ho poi atteso regolarmente agli studi di ingegneria in Roma fino alla soglia dell'ultimo anno.

Nel 1928, desiderando occuparmi di scienza pura, ho chiesto e ottenuto il passaggio alla Facoltà di Fisica e nel 1929 mi sono laureato in Fisica Teorica sotto la direzione di S.E. Enrico Fermi svolgendo la tesi: «La teoria quantistica dei nuclei radioattivi» e ottenendo i pieni voti e la lode.

Negli anni successivi ho frequentato liberamente l'Istituto di Fisica di Roma seguendo il movimento scientifico e attendendo a ricerche teoriche di varia indole. Ininterrottamente mi sono giovato della guida sapiente e animatrice di S.E. il prof. Enrico Fermi.

Queste notizie sulla carriera didattica Ettore Majorana le scrisse nel maggio del 1932: evidentemente ad uso burocratico e molto probabilmente in accompagnamento alla domanda di una sovvenzione, al Consiglio Nazionale delle Ricerche, per quel viaggio in Germania e in Danimarca che Fermi lo aveva convinto a fare. E vi si nota, affatto negativa secondo burocrazia, la nonchalance con cui accenna alle proprie ricerche (*di varia indole*: e altri le avrebbe invece minuziosamente elencate) e il *liberamente* che un po' contraddice l'affermazione di essersi ininterrottamente giovato della *guida sapiente e animatrice* di Fermi. Si sente in queste poche righe come una costrizione, una forzatura: il dover rispondere alle premure e sollecitazioni degli amici, il dover fare quel che gli altri facevano o quel che gli altri da lui si aspettavano, e insomma il dover adattarsi di un uomo inadatto.

In verità, l'Istituto di Fisica Majorana l'aveva davvero frequentato liberamente; né Fermi era stato sua guida. Amaldi racconta: *Nell'autunno 1927 e all'inizio dell'inverno 1927-28 Emilio Segrè, nel nuovo ambiente che si era formato da pochi mesi attorno a Fermi, parlava frequentemente delle eccezionali qualità di Ettore Majorana e, contemporaneamente, cercava di convincere Ettore Majorana a seguire il suo esempio, facendogli notare come gli studi di fisica fossero assai più consoni di quelli di ingegneria alle sue aspirazioni scientifiche e alle sue capacità speculative. Il passaggio a Fisica ebbe luogo al principio del 1928 dopo un colloquio con Fermi, i cui dettagli possono servire assai bene a tratteggiare alcuni aspetti del carattere di Ettore Majorana. Egli venne all'Istituto di Fisica di via Panisperna e fu accompagnato nello studio di Fermi ove si trovava anche Rasetti. Fu in quell'occasione che io lo vidi per la prima volta. Da lontano appariva smilzo, con un'andatura timida, quasi in-*

certa; da vicino si notavano i capelli nerissimi, la carnagione scura, le gote lievemente scavate, gli occhi vivacissimi e scintillanti: nell'insieme, l'aspetto di un saraceno (somigliava, a giudicare dalle fotografie, a Giuseppe Antonio Borgese: e anche di Borgese si disse che aveva l'aspetto di un saraceno). *Fermi lavorava allora al modello statistico che prese in seguito il nome di modello Thomas-Fermi. Il discorso con Majorana cadde subito sulle ricerche in corso all'Istituto e Fermi espose rapidamente le linee generali del modello e mostrò a Majorana gli estratti dei suoi recenti lavori sull'argomento e, in particolare, la tabella in cui erano raccolti i valori numerici del cosidetto potenziale universale di Fermi. Majorana ascoltò con interesse e, dopo aver chiesto qualche chiarimento, se ne andò senza manifestare i suoi pensieri e le sue intenzioni. Il giorno dopo, nella tarda mattinata, si presentò di nuovo all'Istituto, entrò diretto nello studio di Fermi e gli chiese, senza alcun preambolo, di vedere la tabella che gli era stata posta sotto gli occhi per pochi istanti il giorno prima. Avutala in mano, estrasse dalla tasca un fogliolino su cui era scritta una analoga tabella da lui calcolata a casa nelle ultime ventiquattr'ore, trasformando, secondo quanto ricorda Segrè, l'equazione del secondo ordine non lineare di Thomas-Fermi in una equazione di Riccati che poi aveva integrato numericamente. Confrontò le due tabelle e, avendo constatato che erano in pieno accordo fra loro, disse che la tabella di Fermi andava bene...* Non era andato dunque per verificare se andava bene la tabella da lui calcolata nelle ultime ventiquattr'ore (in cui avrà anche dormito), ma se andava bene quella che Fermi aveva calcolato in chi sa quanti giorni. La trasformazione dell'equazione Thomas-Fermi in equazione Riccati, non sappiamo poi se gli fosse venuta naturalmente, involontariamente, o se non implicasse un giudizio. Comunque, superata Fermi la prova, Majorana passò a Fisica e cominciò a frequentare l'Istituto di via Panisperna: regolarmente fino alla laurea, molto meno dopo. Ma il suo rapporto con Fermi c'è da credere sia rimasto sempre per come stabilito dal primo incontro: non solo da pari a pari (Segrè dirà che a Roma solo Majorana poteva discutere con Fermi), ma distaccato, critico, scontroso. Qualcosa c'era, in Fermi e nel suo gruppo, che suscitava in Majorana un senso di estraneità, se non addirittura di diffidenza, che a volte arrivava ad accendersi in antagonismo. E per sua parte, Fermi non poteva non sentire un certo disagio di fronte a Majorana. Le gare tra loro di complicatissimi calcoli – Fermi col regolo calcolatore, alla lavagna o su un foglio; Majorana a memoria, voltandogli le spalle: e quando Fermi diceva *sono pronto*, Majorana dava il risultato – queste gare erano in effetti un modo di sfogare un latente, inconscio antagonismo. Un modo quasi infantile (non bisogna dimenticare che erano entrambi molto giovani).

Come tutti i siciliani «buoni», come tutti i siciliani migliori, Majorana non era portato a far gruppo, a stabilire solidarietà e a stabilirvisi (sono i siciliani peggiori quelli che hanno il genio del gruppo, della «cosca»). E poi, tra il gruppo dei «ragazzi di via Panisperna» e lui, c'era una differenza profonda: che Fermi e «i ragazzi» cercavano, mentre lui semplicemente trovava. Per quelli la scienza era un fatto di volontà, per lui di natura. Quelli l'amavano, volevano raggiungerla e possederla; Majorana, forse senza amarla, «la portava». Un segreto fuori di loro – da colpire, da aprire, da svelare – per Fermi e il suo gruppo. E per Majorana era invece un segreto dentro di sé, al centro del suo essere; un segreto la cui fuga sarebbe stata fuga dalla vita, fuga della vita. Nel genio precoce – quale appunto era Majorana –[1] la vita ha come una invalicabile misura: di tempo, di opera. Una misura come assegnata, come imprescrittibile. Appena toccata, nell'opera, una compiutezza, una perfezione; appena svelato compiutamente un segreto, appena data perfetta forma, e cioè rivelazione, a un mistero – nell'ordine della conoscenza o, per dirla approssimativamente, della bellezza: nella scienza o nella letteratura o nell'arte – appena dopo è la morte. E poiché è un «tutt'uno» con la natura, un «tutt'uno» con la vita, e natura e

1. Della precocità di Majorana si è tanto parlato negli articoli pubblicati in questi ultimi anni da giornali, settimanali e riviste. Ne parla anche Amaldi, nella *Nota biografica* a cui frequentemente ci riferiamo (è stata pubblicata a Roma, dall'Accademia Nazionale dei Lincei, nel 1966: nel volume *La vita e l'opera di Ettore Majorana*). Come ad altri bambini si facevano allora recitare, ai parenti e agli amici in visita, le poesie – e di preferenza *La vispa Teresa*, tanto che Trilussa si divertì ad allungarla: *Se questa è la storia / che sanno a memoria / i bimbi d'un anno / pochissimi sanno / quel che le avvenne / quand'era ventenne...* – a Ettore si davano delle prove di calcolo: moltiplicare tra loro due numeri di tre cifre ciascuno; estrarre radici quadrate e cubiche. A tre-quattro anni, quando ancora i numeri non sapeva leggerli. *Quando uno gli chiedeva di fare un calcolo, il piccolo Ettore si infilava sotto un tavolo quasi cercasse di isolarsi e da lì dava, pochi secondi dopo, la risposta.* Sotto il tavolo per concentrarsi e perché, come tutti i bambini costretti ad esibirsi, si vergognava. E forse un po' della vergogna sentita da bambino ancora stingeva nella sua ritrosia e difficoltà a comunicare, da adulto, i risultati delle sue ricerche.

vita un «tutt'uno» con la mente, questo il genio precoce lo sa senza saperlo. Il fare è per lui intriso di questa premonizione, di questa paura. Gioca col tempo, col suo tempo, coi suoi anni, in inganni e ritardi. Tenta di dilatare la misura, di spostare il confine. Tenta di sottrarsi all'opera, all'opera che conclusa conclude. Che conclude la sua vita.

Prendiamo Stendhal. È un caso, il suo, di precocità ritardata al possibile. Un caso anche di doppia precocità, poiché precoci sono pure i suoi libri in rapporto al tempo in cui vengono pubblicati, in rapporto alla contemporaneità. Di questa seconda precocità Stendhal è cosciente. All'altra, di cui ha premonizione e paura, tenta di sfuggire in tutti i modi. Perde tempo. Si finge ambizioni carrieristiche e mondane. Si nasconde. Si maschera. Rampa per plagi e pseudonimi (che sono poi il rovescio e il dritto della stessa paura). Ed è un gioco che fino ad un certo punto gli riesce. Diciamo che gli riesce fino a *De l'amour*. Ma quando scrive questo libro, è chiaro che non ha più molte chances a prolungare il gioco. Ancora alcuni anni di resistenza: e in un breve giro di tempo è costretto a scrivere «tutto». Non può più ritardare, né più gli vale il dire *io non sono io*. Continua a dirlo, come per forza di inerzia: ma Henry Brulard ha la precisa funzione di consegnare Henri Beyle, di costituirlo alla morte – di costituirlo com'era tra l'infanzia e la giovinezza, tra Grenoble negli anni della Rivoluzione e Milano negli anni della campagna napoleonica; nel tempo cioè che gli era stato assegnato per l'opera e che lui è riuscito a rimandare, a ritardare, ad evadere: al limite del possibile. Ed è da questa incon-

32

gruenza, da questa precocità rimandata alla maturità, da questo nucleo di vita preservato intatto e nitido come in vitro, da questa età che urge ed erompe in un'altra, che viene l'incanto di ogni pagina stendhaliana. Possiamo aggiungere che segno per noi certo della precocità di Stendhal, della sua «rimossa» precocità, è la natura della sua mente (e potremmo anche rovesciare l'espressione: la mente della sua natura): identica a quella di altri precoci. Giorgione, Pascal, Mozart: per limitarci ai casi più conclamati. Una mente matematica, una mente musicale. Una mente «calcolatrice».[1]

1. Tanti altri segni si possono reperire nella biografia e nell'opera di Stendhal. Confusamente ne elenchiamo alcuni.

Fin dalla prima giovinezza Stendhal sa di essere lo scrittore che sarà. Il suo comportamento sarebbe di vera e propria megalomania, maniacale, persino con punte di delirio, se non poggiasse sulle opere che scriverà «dopo». Sa perfettamente che ha molto da dire. Ed ha la volontà e la coscienza di perder tempo: anche se non sa precisamente perché, anche se crede di poter motivare il perder tempo col troppo da dire (1804, *Journal: J'ai trop à écrire, c'est pourquoi je n'écris rien*). La sua grafomania è poi come un modo di espandere nello spazio una vita che sente minacciata di brevità nel tempo: un lasciare «tracce di vita» su qualsiasi spazio si trovi a portata della sua mano (commuove, tra le cose del «fondo Bucci» ora alla Sormani di Milano, la scatola della cipria – o del tabacco – all'interno tutta scritta). E la sua criptografia è un modo di rendere evidenti quelle tracce nascondendole, di renderle interessanti ed amplificate nel segreto, nella problematicità. Entrambe poi – grafomania e criptografia – s'appartengono all'infanzia e all'adolescenza rispettivamente: alla scoperta della scrittura e alla interiorizzazione e reinvenzione di essa. Un bambino scrive dovunque. E un adolescente sempre tende all'invenzione di una scrittura «segreta».

A fronte di quello di Stendhal, opposto ma dimostrativo della stessa verità, sta il caso di Evaristo Galois. E come Stendhal fa di tutto per ritardare, Galois – ventenne – passa la notte che precede il duello, in cui «sa» che morirà, ad anticipare: e febbrilmente condensa in una lettera al suo amico Chevallier l'opera che gli era assegnata, l'opera che non può non essere un «tutt'uno» con la sua vita: la teoria dei gruppi di sostituzioni.

Senza saperlo, senza averne coscienza, come Stendhal Majorana tenta di non fare quel che deve fare, quel che non può non fare. Direttamente e indirettamente, con le loro esortazioni e col loro esempio, sono Fermi e «i ragazzi di via Panisperna» che lo costringono a fare qualcosa. Ma la fa come per scherzo, per scommessa. Con leggerezza, con ironia. Con l'aria di chi in una serata tra amici si improvvisa giocoliere, prestigiatore: ma se ne ritrae appena scoppia l'applauso, se ne scusa, dice che è un gioco facile a farsi, che chiunque può fare. Oscuramente sente in ogni cosa che scopre, in ogni cosa che rivela, un avvicinarsi alla morte; e che «la» scoperta, la compiuta rivelazione che la natura di un suo mistero gli assegna, sarà la morte. È «tutt'uno» con la natura come una pianta, come un'ape; ma a differenza di queste ha un margine, sia pure esiguo, di gioco; un margine in cui aggirarla e raggirarla, in cui cercare – anche se vanamente – un valico, un punto di fuga.

Non uno di coloro che lo conobbero e gli furono

vicini, e poi ne scrissero o ne parlarono, lo ricorda altrimenti che *strano*. E lo era veramente: stranio, estraneo. E sopratutto all'ambiente di via Panisperna. Laura Fermi dice: *Majorana aveva però un carattere strano: era eccessivamente timido e chiuso in sé. La mattina, nell'andare in tram all'Istituto, si metteva a pensare con la fronte accigliata. Gli veniva in mente un'idea nuova, o la soluzione di un problema difficile, o la spiegazione di certi risultati sperimentali che erano sembrati incomprensibili: si frugava le tasche, ne estraeva una matita e un pacchetto di sigarette su cui scarabocchiava formule complicate. Sceso dal tram se ne andava tutto assorto, col capo chino e un gran ciuffo di capelli neri e scarruffati spioventi sugli occhi. Arrivato all'Istituto cercava di Fermi o di Rasetti e, pacchetto di sigarette alla mano, spiegava la sua idea.* Ma appena gli altri approvavano, se ne entusiasmavano, lo esortavano a pubblicare, Majorana si richiudeva, farfugliava che era roba da bambini e che non valeva la pena discorrerne: e appena fumata l'ultima sigaretta (e non ci voleva molto, per lui fumatore accanito, arrivare all'ultima delle dieci «macedonia» del pacchetto), buttava il pacchetto – e i calcoli, e le teorie – nel cestino. Così finì, pensata e calcolata prima che Heisenberg la pubblicasse, la teoria, che da Heisenberg prese nome, del nucleo fatto di protoni e neutroni.

Non si può escludere (e pare anzi che un attento esame dei suoi quaderni lo confermerebbe) ci fosse in lui anche un certo gusto mistificatorio e teatrale: nel senso che le teorie non gli venivano per improvvisa folgorazione né quei calcoli che stupivano i colleghi li faceva soltanto in tram; ed anche nel senso che probabilmente si divertiva a versar per terra e disperdere l'acqua della scienza sotto gli occhi di coloro che ne erano assetati. Ma il fatto che davvero la versasse e disperdesse, buttando nel cestino della carta straccia teorie da premio Nobel, della cui novità e portata era indubbiamente consapevole, ci può dare il sospetto della mistificazione, della teatralità, per il modo in cui lo faceva, ma non per le ragioni. Le ragioni erano profonde, oscure, «vitali». S'appartenevano all'istinto di conservazione. Doppiamente, possiamo oggi dire, s'appartenevano all'istinto di conservazione: per sé, per la specie umana.

Questo episodio – di Majorana che prima di Heisenberg elabora la teoria del nucleo fatto di protoni e neutroni e non solo rifiuta di pubblicarla ma proibisce a Fermi di parlarne in un congresso di fisica che doveva tenersi a Parigi (a meno che – assurda condizione – non si prestasse Fermi allo scherzo di attribuire la teoria a un professore di elettrotecnica, italiano e forse dell'Università di Roma, che Majorana totalmente disistimava: e si sapeva che quel professore sarebbe stato presente al congresso); questo episodio ci appare come in una luce di «superstitio» profonda, di quella da cui scatta la nevrosi: e appunto la mistificazione, la teatralità, lo scherzo ne sono controparte – come in ogni nevrosi. E Majorana non solo, quando la teoria di Heisenberg viene accettata e celebrata, non condivide il rammarico degli altri fisici dell'Istituto romano per non averla lui tempestivamente pubblicata, ma concepisce nei riguardi del fisico tedesco un sentimento di ammirazione (e in ciò concorre la coscienza di sé) e di gratitudine (e in ciò concorre la sua paura). Heisenberg gli è come un amico sconosciuto: uno che senza saperlo, senza conoscerlo, l'ha come salvato da un pericolo, gli ha come evitato un sacrificio.

Questa è forse la ragione per cui facilmente cede alle sollecitazioni di Fermi: e va in Germania, a Lipsia. Da Heisenberg.

IV

Qualche mese prima che Ettore partisse per la Germania, si era finalmente chiuso per i Majorana il mostruoso caso cui resta, negli annali giudiziarî, legato il loro nome. Il caso Majorana. Il processo Majorana. E lo diciamo mostruoso – sulle carte di allora, sulle arringhe di accusa e di difesa – perché, più del delitto da cui prese avvio, mostruoso ci appare l'ingranaggio ambientale e giudiziario in cui per otto anni persone evidentemente incolpevoli si trovarono prese fino all'annientamento, fino alla follia.

Nell'estate del 1924, in casa di Antonino Amato, benestante catanese, un bambino – unico figlio dell'Amato – brucia nella culla: tra il fuoco del materassino e quello della zanzariera. Non si pensa a un delitto se non quando dai resti della combustione viene il sospetto e poi la certezza che del liquido infiammabile era stato sparso. Da chi, si arriva subito a scoprirlo: una cameriera di sedici anni,

Carmela Gagliardi. E perché un delitto così tremendo? La ragazza spiega: perché mia madre si ostinava a tenermi a servizio in casa Amato, mentre io volevo tornare a servire dai Platania, ai quali mi ero affezionata e che mi volevano bene. La spiegazione, appunto perché convincente, non convince. L'enorme sproporzione tra il movente e l'atto, tipica dei « delitti ancillari », per come un criminologo francese li aveva denominati e studiati, accende il sospetto, prima che della polizia, dell'Amato. Aveva avuto questione, per l'eredità paterna da dividere, con le sorelle e coi cognati; e i cognati – i fratelli Giuseppe e Dante Majorana, giuristi, persone d'autorità e di prestigio nella città e fuori – lo avevano legalmente costretto al risarcimento di quella parte dell'eredità che non può essere sottratta ai figli nemmeno dalla contraria volontà di chi la lascia e che è – sostantivato aggettivo – « la legittima ». La vicenda si era svolta in questi termini: per una bonaria composizione le sorelle, e cioè i cognati, avevano chiesto diciamo cinque; il fratello aveva controfferto uno; fatto ricorso alla legge, avevano avuto – e il fratello era stato costretto a pagare – sette. Dalla parte delle sorelle e dei cognati c'era stata dunque la soddisfazione di avere avuto più di quel che avevano chiesto. Era dalla parte dell'Amato che poteva esserci il rancore, l'astio: per aver pagato. E c'era senz'altro, questo sentimento, questo risentimento, se irragionevolmente, nel dolore per il suo bambino atrocemente morto, l'Amato lo specchiò nelle sorelle, nei cognati: insinuando in coloro che indagavano il sospetto che la ragazza potesse avere agito per mandato.

Non ci volle molto a far dire a una ragazza di sedici anni – non amata dai familiari e anzi loro vittima, sola, smarrita, presa dalla vergogna di quel che aveva fatto più che dal rimorso – che aveva agito per mandato. L'idea – fatta balenare a portata della sua mente negli interrogatorî – che l'esistenza di un mandante attenuasse o addirittura cancellasse la sua colpa, unita allo scatenarsi di un sentimento di vendetta nei riguardi dei familiari (la madre che la costringeva a servire dagli Amato e la picchiava quando osava protestare; il fratello che aveva tentato di violentarla; la sorella che se ne stava ad oziare in casa, fidanzata a un giovane di cui lei, Carmela, si era invaghita e che le mostrava una qualche attenzione), la portarono ad accusare, ad accusare. E per primo accusò Rosario Sciotti, il fidanzato della sorella: che entrasse in carcere anche lui, che la sorella non lo avesse. Era stato lo Sciotti, disse, a darle la bottiglia del liquido infiammabile da spargere nella culla. Ed erano stati il fratello e la madre a costringerla ad obbedire allo Sciotti.

Ma agli inquirenti non bastava. Lo Sciotti, benissimo, aveva dato mandato a lei; le aveva consegnato la bottiglia (di vetro bianco, da un quarto di litro, piena di un liquido che pareva all'odore petrolio). Ma da chi aveva avuto mandato, lo Sciotti, se personalmente non aveva motivo alcuno di volere la morte del bambino?

Sussurrato da ogni parte, la ragazza coglie un nome: Majorana. Ma Giuseppe o Dante, quale dei due cognati dell'Amato? Ci sono giorni, crediamo addirittura mesi, di indecisione. Poi la scelta cade su Dante.

Si arresta lo Sciotti. Si arrestano Giovanni Gagliardi, fratello di Carmela, e la madre, Maria Pellegrino. Negano. Disperatamente continuano a negare. E fintanto che loro negano, è impossibile arrestare il Majorana.

Passano i mesi, gli anni. In carcere, i tre fanno le loro amicizie, trovano i loro consiglieri. Consiglieri non disinteressati, se la difesa Majorana esplicitamente accusò l'Amato di aver fatto nel carcere, per tramite della malavita catanese, opera di facile corruzione. E furono persuasi – lo Sciotti, il Gagliardi, la Pellegrino – ad arrendersi alle accuse della ragazza. Ed ecco che, nell'incombere del processo che avrebbe dato loro l'ergastolo, si dichiarano colpevoli e inesauribilmente si abbandonano a far nomi di complici, di istigatori, di mandanti. Una lunga catena. E al primo anello, Dante e Sara Majorana. I quali non solo, a parola dello Sciotti, gli avevano commissionato il delitto, ma anche gli avevano consegnato la bottiglia del liquido infiammabile: verdognola, e piena di benzina. Come la bottiglia fosse poi diventata bianca, passando in mano a Carmela, e odorando più di petrolio che di benzina; e come, contraddicendo entrambi, dall'analisi dei residui della combustione, i periti avessero certificato l'impiego di alcool denaturato – questo nodo polizia e giudici d'istruzione non si curarono mai di scioglierlo.

E qui bisogna riconoscere che, per quanto non

disinteressati, i carcerati legulei che persuasero lo Sciotti, il Gagliardi e la Pellegrino ad accusarsi e ad accusare, diedero in effetti – tecnicamente, a parte ogni considerazione morale – l'unico consiglio che valesse a sbloccare la loro disperata situazione. Inchiodati dalle accuse della ragazza (ritenute veritiere doppiamente, in ordine a due criterî che possiamo dire consueti nell'amministrazione della giustizia: che i minori in età, e specialmente i bambini, sempre dicono la verità; e che un imputato o un testimone è più facile menta nella prima dichiarazione che nella seconda), altra salvezza per loro non c'era che accusare, che coinvolgere quante più persone potevano: fino al parossismo, fino all'assurdo. Soltanto raggiungendo l'assurdità il processo poteva – enorme mongolfiera – ricadere sul terreno del buon senso, della verità.

E così fu. Dal 4 aprile al 13 giugno del 1932 – Dante e Sara Majorana da tre anni in carcere, gli altri da otto; e Giovanni Gagliardi era intanto impazzito – la Corte d'Assise di Firenze tornò a quel piccolo grumo di verità, alla miserabile (commiserabile) verità del «delitto ancillare». Disperatamente piangendo, ormai donna, Carmela Gagliardi per la seconda volta, dopo otto anni, la confessò: «Io sola sono colpevole». E soltanto il suo pianto, il suo rimorso, ricordarono che al centro di quel labirinto di odio, di menzogna, di disperazione, c'era il piccolo Cicciuzzu Amato, il bambino bruciato nella culla.

Laura Fermi dice: *Majorana aveva continuato a frequentare l'Istituto di Roma e a lavorarvi saltuariamente, nel suo modo peculiare, finché nel 1933 era andato per qualche mese in Germania. Al ritorno non riprese il suo posto nella vita dell'Istituto; anzi, non volle più farsi vedere nemmeno dai vecchi compagni. Sul turbamento del suo carattere dovette certamente influire un fatto tragico che aveva colpito la famiglia Majorana. Un bimbo in fasce, cugino di Ettore, era morto bruciato nella culla, che aveva preso fuoco inspiegabilmente. Si parlò di delitto. Fu accusato uno zio del piccino e di Ettore. Quest'ultimo si assunse la responsabilità di provare l'innocenza dello zio. Con grande risolutezza si occupò personalmente del processo, trattò con gli avvocati, curò i particolari. Lo zio fu assolto; ma lo sforzo, la preoccupazione continua, le emozioni del processo non potevano non lasciare effetti duraturi in una persona sensitiva quale era Ettore.*

Il ricordo è impreciso. Nessuna parentela tra Ettore Majorana e il bambino. La culla non aveva preso fuoco inspiegabilmente. Il giovanissimo Ettore non si assunse – né poteva, appunto perché giovanissimo e considerando la struttura di una famiglia siciliana – il ruolo di investigatore, di coordinatore, di guida del collegio di difesa. Avrà, senza dubbio, «meditato» (espressione che ricorre nelle sue lettere quando parla di una qualche difficoltà da superare) sul problema: ma proprio nel porselo come problema è da credere riuscisse a vivere il caso con più distacco e minore ansietà degli altri familiari. Che poi delle sue deduzioni, della sua soluzione del problema, gli avvocati si avvalessero, è del tutto improbabile. Quasi tutti «principi del foro» –

e l'unico che non lo fosse era Roberto Farinacci: ma la sua nullità professionale era ad usura compensata dalla temibilità politica – c'è da immaginarsi con quale freddezza o addirittura spregio avrebbero accolto ogni «profano» suggerimento.

Nel ricordo di Laura Fermi si nota anche una certa indecisione a collocare nel tempo l'episodio: se prima o dopo il viaggio di Ettore in Germania. Ma appunto perché tutto si era concluso prima noi possiamo dire, sulle lettere dalla Germania oltre che sulle testimonianze dei familiari, che l'avvenimento, per quanto lungamente avesse tenuto in pena ed ansietà tutta la famiglia, non aveva lasciato in Ettore Majorana – come invece tendono a credere, con Laura Fermi, quelli che gli erano stati vicini nell'Istituto romano – traccia di turbamento, di squilibrio. *Secondo alcuni degli amici* – dice Edoardo Amaldi – *questo episodio avrebbe avuto un'influenza determinante sull'atteggiamento di Ettore di fronte alla vita: ma i fratelli, che ricordano tutti con chiarezza quel periodo, lo escludono nel modo più deciso*; il che vuol dire che anche lui, Amaldi, che pure è stato tra i pochi che continuarono a frequentare Majorana dopo il ritorno da Lipsia, non saprebbe sul suo solo ricordo affermare se quell'avvenimento aveva avuto o no influenza sulla più accentuata scontrosità e misantropia dell'amico.

La tentazione di avanzare l'ipotesi che queste imprecisioni, queste incertezze, abbiano una profonda ragione e funzione, è piuttosto forte. Rifuggendo, coloro che gli furono vicini e «ricordano», dall'idea che Ettore Majorana possa, nella scienza che maneggiava e calcolava, nella scienza che «portava», aver visto (intravisto, previsto) qualcosa di terribile, qualcosa di atroce, una immagine di fuoco e di morte: ecco quel che a livello di coscienza e di competenza rifiutano di ammettere, che recisamente negano, riemergere in una specie di lapsus della memoria, in un vero e proprio qui pro quo, in un oscuro «questo per quello». Si trovano così ad avvicinare Ettore Majorana ad una immagine che allude a «quell'altra»; ad una immagine che emblematicamente, simbolicamente, contiene «quell'altra».

Il bambino bruciato nella culla. L'immagine ha, per dirla con una espressione che s'appartiene alla fisica nucleare e alle ricerche di Majorana, una «forza di scambio» incontenibile. E non soltanto per coloro che hanno vissuto la storia delle ricerche nucleari e ne sono stati segnati, ma anche per tutti coloro che si accostano alla vita di Ettore Majorana, al mistero della sua scomparsa.

V

L'incontro con Heisenberg crediamo sia stato il più significativo, il più importante, che Majorana abbia fatto nella sua vita: e più sul piano umano che su quello della ricerca scientifica. E si capisce: per quel che della sua vita documentatamente sappiamo, poiché di quel che non sappiamo siamo portati a immaginare un altro e più importante incontro.

A Lipsia arriva il 20 gennaio del 1933. Brutta città, ma gli basta andare all'Istituto di Fisica per scoprirla simpatica. Il 22 scrive alla madre: *All'Istituto di Fisica mi hanno accolto molto cordialmente. Ho avuto una lunga conversazione con Heisenberg che è persona straordinariamente cortese e simpatica.* (Nella stessa lettera dice della *posizione ridente* dell'Istituto: *fra il cimitero e il manicomio*). Il 14 febbraio, ancora alla madre: *Sono in ottimi rapporti con Heisenberg.* E il 18 dello stesso mese, al padre: *Ho scritto un articolo sulla struttura dei nuclei che a Heisenberg è piaciuto molto ben-*

ché contenesse alcune correzioni a una sua teoria. Quattro giorni dopo, alla madre: *Nell'ultimo «colloquio», riunione settimanale a cui partecipano un centinaio tra fisici, matematici, chimici, etc., Heisenberg ha parlato della teoria dei nuclei e mi ha fatto molta réclame a proposito di un lavoro che ho fatto qui. Siamo diventati abbastanza amici in seguito a molte discussioni scientifiche e ad alcune partite a scacchi. Le occasioni per queste sono offerte dai ricevimenti che egli offre tutti i martedì sera ai professori e studenti dell'istituto di fisica teorica.* Il fisico americano Feenberg, anche lui in quel periodo ospite dell'Istituto di Lipsia, ha ricordato, parlando con Amaldi, un seminario sulle forze nucleari in cui Heisenberg parlò del contributo dato da Majorana alle ricerche. Disse anche, Heisenberg, che Majorana era presente, e lo invitò ad intervenire. Naturalmente, Majorana respinse l'invito: a quattr'occhi con Heisenberg, va bene; ma di fronte a un centinaio di persone... Forse si tratta del «colloquio» di cui parla nella lettera al padre: e non dice del suo rifiuto a prendere la parola, che certo sarebbe stato dal padre disapprovato. In quanto agli scacchi, Majorana ne era, fin da bambino, campione: a sette anni scacchista lo troviamo nella cronaca di un giornale catanese.

Di Heisenberg scrive quasi in ogni lettera. Il 28 febbraio, al padre, dice che si deve fermare ancora per due o tre giorni a Lipsia, prima di andare a Copenaghen, perché ha bisogno di *chiacchierare* con Heisenberg: *La sua compagnia è insostituibile e desidero approfittare finché egli rimane qui.* Il *chiacchierare* riaffiora in una lettera di tre mesi dopo: Heisenberg, dice, *ama le mie chiacchiere e mi insegna pazien-*

temente il tedesco. L'uso di queste espressioni – chiacchierare, chiacchiere – crediamo abbia una duplice funzione: quella, certa, di sminuire, di degradare, gli argomenti di cui tratta con Heisenberg (atteggiamento che tiene costantemente nei riguardi della scienza e che dimostra in effetti un contrario sentimento); e quella, probabile, di fare intravedere ai familiari un cambiamento nel carattere, nel comportamento, da lui conseguito col soggiorno a Lipsia. Da silenzioso e scontroso che era, a Lipsia, con Heisenberg, *chiacchiera* – e amabilmente. Ma solamente con Heisenberg, se il fisico danese Rosenfeld, anche lui in quei mesi a Lipsia, ricordava di aver sentito una sola volta la voce di Majorana: e per una brevissima frase.

Se con Heisenberg avesse parlato di letteratura o di problemi economici, di battaglie navali o di scacchistica, cose che lo appassionavano e alle quali speculativamente spesso si applicava, non sarebbe stato un *chiacchierare.* Parlava, certamente, di fisica nucleare. Ma, altrettanto certamente, in modo diverso, con diverse implicazioni, di come avrebbe potuto (ed evidentemente non voleva) parlarne con Fermi o con Bohr, coi fisici dell'Istituto di Lipsia o con quelli dell'Istituto romano. Con gli altri fisici, il suo tipo di comunicazione ideale era quello che aveva stabilito all'Istituto di Roma, e proseguito a Lipsia, con l'americano Feenberg: Majorana non parlava l'inglese e Feenberg non parlava l'italiano, ma stavano sempre assieme, studiavano allo stesso tavolo; e comunicavano, *mostrandosi qualche formula scritta su di un pezzo di carta, soltanto a lunghi intervalli*

(Amaldi). Con Heisenberg, il rapporto era del tutto diverso. E la ragione crediamo di intravederla, retrospettivamente, nel fatto che Heisenberg viveva il problema della fisica, la sua ricerca di fisico, dentro un vasto e drammatico contesto di pensiero. Era, per dirla banalmente, un filosofo.

Chi, sia pure sommariamente (come noi: tanto per mettere le mani avanti), conosce la storia dell'atomica, della bomba atomica, è in grado di fare questa semplice e penosa constatazione: che si comportarono liberamente, cioè da uomini liberi, gli scienziati che per condizioni oggettive non lo erano; e si comportarono da schiavi, e furono schiavi, coloro che invece godevano di una oggettiva condizione di libertà. Furono liberi coloro che non la fecero. Schiavi coloro che la fecero. E non per il fatto che rispettivamente non la fecero o la fecero – il che verrebbe a limitare la questione alle possibilità pratiche di farla che quelli non avevano e questi invece avevano – ma precipuamente perché gli schiavi ne ebbero preoccupazione, paura, angoscia; mentre i liberi senza alcuna remora, e persino con punte di allegria, la proposero, vi lavorarono, la misero a punto e, senza porre condizioni o chiedere impegni (la cui più che possibile inosservanza avrebbe almeno attenuato la loro responsabilità), la consegnarono ai politici e ai militari. E che gli schiavi l'avrebbero consegnata a Hitler, a un dittatore di fredda e atroce follia, mentre i liberi la consegnarono a Truman, uomo di «senso comune» che rappresentava il «senso comune» della democrazia americana, non fa differenza: dal momento che Hitler avrebbe deciso esattamente come Truman decise, e cioè di fare esplodere le bombe disponibili su città accuratamente, «scientificamente» scelte fra quelle raggiungibili di un paese nemico; città della cui totale distruzione si era potuto far calcolo (tra le «raccomandazioni» degli scienziati: che l'obiettivo fosse una zona del raggio di un miglio e di dense costruzioni; che ci fosse una percentuale alta di edifici in legno; che non avesse fino a quel momento subìto bombardamenti, in modo da poter accertare con la massima precisione gli effetti di quello che sarebbe stato l'unico e il definitivo...).[1]

1. La struttura organizzativa del «Manhattan Project» e il luogo in cui fu realizzato per noi si sfaccettano in immagini di segregazione e di schiavitù, in analogia ai campi di annientamento hitleriani. Quando si maneggia, anche se destinata ad altri, la morte – come la si maneggiava a Los Alamos – si è dalla parte della morte e nella morte. A Los Alamos si è insomma ricreato quello appunto che si credeva di combattere. Il rapporto tra il generale Groves, amministratore con pieni poteri del «Manhattan Project», e il fisico Oppenheimer, direttore dei laboratori atomici, è stato di fatto il rapporto che frequentemente si istituiva nei campi nazisti tra qualcuno dei prigionieri e i comandanti. Per questi prigionieri, il «collaborazionismo» era un modo diverso di esser vittime, rispetto alle altre vittime. Per gli aguzzini, un modo diverso di essere aguzzini. Oppenheimer è infatti uscito da Los Alamos annientato quanto un prigioniero «collaborazionista» dal campo di sterminio di Hitler. Il suo dramma – che non ci commuove affatto, a cui soltanto riconosciamo un valore di parabola, di lezione, di ammonizione per gli altri uomini di scienza – è propriamente il dramma, vissuto a livello individuale, soggettivo, di un nefasto «collabo-

Tra quelli che avrebbero potuto fare per Hitler l'atomica, Werner Heisenberg era senz'altro il più importante. I fisici che lavoravano a farla in America credevano, fino all'ossessione, che stesse facendola: e uno di loro, al seguito delle avanguardie americane delegato alla caccia dei fisici tedeschi, nell'idea che dove era Heisenberg doveva anche esserci l'officina dell'atomica, lo cercò poi febbrilmente in tutta quella parte della Germania che gli alleati andavano occupando. Ma Heisenberg non solo non aveva avviato il progetto della bomba atomica (lasciamo stare se poteva o no arrivare a farla: progettarla sicuramente poteva), ma aveva passato gli anni della guerra nella dolorosa apprensione che gli altri, dall'altra parte, stessero per farla. Non infondata apprensione, purtroppo. E cercò, anche se maldestramente, di far sapere a quegli altri che lui e i fisici rimasti in Germania non avevano l'intenzione, né sarebbero stati in grado, di farla; e diciamo maldestramente perché credette di poter servirsi come tramite del fisico danese Bohr, che era stato suo maestro. Ma Bohr già nel 1933 era in fama di rimbambimento; e così ne scrive Ettore Majorana al padre e poi alla madre, da Lipsia, prima di conoscerlo – e quindi doveva averlo saputo da Heisenberg o da altri della sua cerchia – e da Copenaghen, dopo averlo conosciuto: *Il 1° marzo*

razionismo» che molte migliaia di persone hanno vissuto (nel senso che ne sono morte) oggettivamente, in quanto ne sono state oggetto, bersaglio. E speriamo che altre e più vaste vendemmie di morte non vengano da questo, non ancora infranto, «collaborazionismo».

mi recherò a Copenaghen da Bohr, il maggiore ispiratore della fisica moderna, ora un po' invecchiato e sensibilmente rimbambito ... Bohr è partito per una diecina di giorni. È adesso in montagna con Heisenberg per riposarsi. Da due anni medita con ostinazione sullo stesso problema e di recente erano evidenti in lui i segni della stanchezza. E figuriamoci sette anni dopo, nel 1940. Capì esattamente il contrario di quel che Heisenberg, cautamente, voleva far sapere ai colleghi che lavoravano negli Stati Uniti.[1]

Comunque, in un mondo più umano, più attento e più giusto nella scelta dei suoi valori, dei suoi miti, la figura di Heisenberg più dovrebbe e nobilmente aver spicco di altre che nel campo della fisica nucleare operarono negli stessi suoi anni – più di coloro che la bomba la fecero, la consegnarono, con esultanza accolsero la notizia degli effetti e soltanto dopo (ma non tutti) ne ebbero smarrimento e rimorso.

1. Benché Majorana dia altri dettagli del rimbambimento di Bohr, il fatto che gli alleati abbiano fatto tanto, durante la guerra, per portarlo via dalla Danimarca occupata dai tedeschi, dimostra che proprio rimbambito non era. Forse sembravano sconfinare nel rimbambimento le sue continue ed eccessive distrazioni. Comunque, rimbambito o distratto, pare certo che abbia inteso il discorso di Heisenberg più come una minaccia che come un preoccupato e rassicurante messaggio.

VI

In Germania, sollecitato da Heisenberg, aveva pubblicato sulla «Zeitschrift für Physik» il lavoro sulla teoria del nucleo di cui parla in una delle lettere. Non fece altro. Né altro aveva da apprendere che il tedesco.

Di quel che avviene in quei mesi in Germania – Hitler al potere, le leggi razziali e antisemite, la catastrofica situazione economica, la propizia al nazismo indifferenza della gente – è osservatore apparentemente impassibile. Quando si lascia andare a un giudizio, è di generica ammirazione per la Germania, per la sua efficienza. Ovviamente, se consideriamo che aveva ventisei anni e che era cresciuto nel clima e nelle illusioni del fascismo, tutto quello che si dice dell'Italia da parte di Hitler e dei giornali tedeschi – ammirazione per il fascismo, per Mussolini, per i progressi del paese – non può non toccarlo. Ma da questo a dire, come è stato detto, che fu entusiasta del nazismo, c'è differenza. Siamo nel 1933. E in Italia gli antifascisti è possibile incontrarli soltanto in carcere. Quattro anni prima c'era stata la «conciliazione» tra Stato e Chiesa: i cattolici avevano sciolto le loro riserve nei riguardi del fascismo, i vescovi benedivano i gagliardetti e proclamavano Mussolini «uomo della Provvidenza». L'anno prima anche Pirandello aveva montato la guardia alla mostra del decennale della «rivoluzione fascista». Marconi presiedeva la Reale Accademia d'Italia voluta da Mussolini. Fermi, accademico, era Sua Eccellenza Fermi. D'Annunzio (che era poi il solo a divertirsi ambiguamente in tanta tristezza, il solo a permettersi ambiguo disprezzo) continuava a mandare a Mussolini fraterni messaggi. Scrittori della cui conversione all'antifascismo nessuno poi – a guerra perduta e a fascismo finito – osò dubitare, scioglievano cantici al fascismo e al duce (e qualcuno sarebbe arrivato a scrivere, durante la guerra di Spagna, che assistere alle fucilazioni dei miliziani da parte dei franchisti era un corroborante piacere). Il poeta più caro alla generazione giovane confermava, da una edizione all'altra di un suo libro, la dedica a Benito Mussolini: l'uomo che nel 1919 si era affacciato al suo cuore. Del primato italiano negli armamenti, nel giuoco del calcio e nella fisica, nessuno dubitava. Tutto il mondo ammirava le imprese dell'aviazione italiana. Critici accademici e militanti esaltavano la prosa di Mussolini. Ad ogni discorso di Mussolini, piazza Venezia rombava di un consenso che trovava eco nei palazzi e nei tugurî. La Russia dei sovieti partecipava al festival cinematografico di Venezia... E dovremmo proprio a Ettore Majorana, disimpegnato dalla politica al limite di quanto allora si poteva essere disimpegnati, distante, chiuso nei suoi pensieri, chiedere una netta ripulsa del fascismo, un duro giudizio sul nascente nazismo?

Bisogna poi tener conto che le lettere provenienti da altri paesi frequentemente venivano aperte e lette, se non regolarmente; e se qualcosa c'era di contrario al fascismo o a cui si poteva dare in tal senso interpretazione, venivano fermate o copiate e, quando non ne nasceva immediatamente un guaio, restavano nei fascicoli della polizia politica: che a miglior tempo, cioè a trappola meglio congegnata, ne rimandava l'uso. E non c'erano in Italia persone capaci di un minimo di osservazione e di accortezza che ciò non sapessero e non vi si regolassero: e i più senza indignarsene, come di fronte a una norma in cui la mancanza di legittimità trovava compenso nell'avveduta difesa della sicurezza nazionale, della pace sociale – e così via. I Majorana poi, dal guaio appena passato (in cui la politica una qualche parte doveva averla avuta: e lo dice il fatto che polizia e magistratura avevano se non altro la certezza di non far cosa sgradita al regime, nel loro sbrigliarsi in quelle pazzesche indagini; e da ciò l'antidoto, la contromisura, di includere Farinacci nel collegio di difesa) c'è da credere fossero stati resi particolarmente alerti, particolarmente guardinghi; e che ancora si sentissero sorvegliati, scrutati. Insomma: anche se Ettore avesse avuto nei riguardi del fascismo un sentimento di avversione, se il nazismo gli avesse suscitato una qualche sdegnata reazione, era elementare misura di prudenza limitarsi nelle lettere al semplice racconto dei fatti. Ecco, per esempio, come alla madre spiega la «rivoluzione» nazista: *Lipsia, che era in maggioranza socialdemocratica, ha accettato la rivoluzione senza sforzo. Cortei nazionalisti percorrono frequentemente le vie centrali e periferiche, in silenzio, ma con aspetto sufficientemente marziale. Rare le uniformi brune mentre campeggia ovunque la croce uncinata. La persecuzione ebraica riempie di allegrezza la maggioranza ariana. Il numero di coloro che troveranno posto nell'amministrazione pubblica e in molte private, in seguito alla espulsione degli ebrei, è rilevantissimo; e questo spiega la popolarità della lotta antisemita. A Berlino oltre il cinquanta per cento dei procuratori erano israeliti. Di essi un terzo sono stati eliminati; gli altri rimangono perché erano in carica nel '14 e hanno fatto la guerra. Negli ambienti universitari l'epurazione sarà completa entro il mese di ottobre. Il nazionalismo tedesco consiste in gran parte nell'orgoglio di razza. Tutti gli insegnanti hanno avuto raccomandazione di esaltare nelle scuole il contributo dato alla civiltà dalla razza nordica, e anche il conflitto ebraico è giustificato più con la differenza di razza che con la necessità di reprimere una mentalità socialmente dannosa. In realtà non solo gli ebrei, ma anche i comunisti e in genere gli avversari del regime vengono in gran numero eliminati dalla vita sociale. Nel complesso l'opera del governo risponde a una necessità storica: far posto alla nuova generazione che rischia di essere soffocata dalla stasi economica.*[1]

1. In una precedente lettera nettamente aveva scritto: *La situazione politica interna appare permanentemente catastrofica, ma non mi sembra che interessi molto la gente.* Nella stessa lettera, caricaturalmente delinea la figura di un ufficiale dell'esercito

Non pare ci sia una sola vibrazione d'entusiasmo, in questo quadro. L'impassibilità, che crediamo voluta, gli conferisce anzi una tetraggine che invano cercheremmo in altre testimonianze di quel periodo (che non siano, si capisce, di avversarî dichiarati del nazismo). E in quanto al riconoscimento della necessità storica cui il nazismo rispondeva: poteva essere una precauzione o una convinzione. Ma fosse stata una convinzione, non ce ne scandalizzeremmo: a parte il fatto che si colloca al di fuori di un giudizio morale, obbedisce a una specie di storicismo oggi come allora corrente che vede nel consenso delle masse la giustificazione di una politica. Le masse non si fanno manovrare, dicono i giovani rivoluzionarî di oggi: e c'è da meravigliarsi che lo pensino, se per loro il nazifascismo è già esperienza storica, scotto già pagato e giudicato; mentre non meraviglia lo pensasse, nel 1933, un giovane di ventisei anni.

Ma su questo dettaglio – delle impressioni di Majorana di fronte al nazismo – ci siamo soffermati alquanto gratuitamente. Per l'uomo che Majorana era, non conta poi molto che si sia lasciato o no ingannare dalla propaganda nazista. In ogni caso, si sarebbe trattato di un inganno. Ma non si è lasciato ingannare – o almeno non nella misura in cui altri, più di lui avvertiti, più di lui maturi, si sono (a dar loro credito di buonafede) lasciati ingannare.

che non può fare un movimento *senza sbattere insieme con forza i talloni*: pronto sempre ad accendergli la sigaretta, ma appunto tanta meccanica cortesia gli impedì per tutto un viaggio di scambiare altre parole che i saluti.

VII

Dalla Germania, torna a Roma nei primi di agosto.

Nei giorni che precedono la sua partenza da Lipsia, c'è uno scambio di lettere con la madre sul fatto che a casa si troverà solo, poiché tutta la famiglia si prepara a partire per Abbazia. La madre se ne preoccupa, si propone di tornare a Roma: piccolo ricatto per convincerlo a raggiungerli ad Abbazia. Ma lui non cede: *Mi daresti un dispiacere inutile se intraprendessi un viaggio così lungo e faticoso senza alcuno scopo e alcuna giustificazione. Ma io non intendo cambiare il mio programma per il timore che tu mandi ad effetto una minaccia così irragionevole.* Non è, evidentemente, un «mammista» (e bisognerebbe tenerne conto, se mai si volesse banalmente psicanalizzarlo). Premuroso, affettuoso, apprensivo nei riguardi di tutti i familiari e particolarmente della madre: ma nelle sue decisioni, piccole o grandi che siano, irremovibile.

Torna dunque da Lipsia forse con un programma di lavoro, ma certamente vagheggiando la solitudine. E dal momento in cui torna a Roma, da quell'agosto romano in cui certo sarà riuscito a spuntarla a restare solo in casa, ad essere come solo nella città, farà di tutto per vivere, pirandellianamente, da « uomo solo ».

Per quattro anni – dall'estate del '33 a quella del '37 – raramente esce di casa e ancora più raramente si fa vedere all'Istituto di Fisica. Ad un certo punto, smette anzi di andarci. Amaldi, Segrè e Gentile (Giovanni junior, figlio del filosofo), vanno qualche volta a trovarlo: a tentare, dice Amaldi, di *riportarlo a fare vita normale.* Il fatto che non ci andasse anche Fermi, dice che i loro rapporti non erano mai stati amichevoli o non lo erano più.

Majorana evitava accuratamente ogni discorso sulla fisica. Parlava di flotte e battaglie navali, di medicina, di filosofia. *Gli interessi filosofici, che erano sempre stati vivi in lui, si erano fortemente accentuati.* Ma il non voler parlare di fisica appunto dimostra che non l'aveva abbandonata, e anzi che ne era ossessionato. *Nessuno di noi* – dice ancora Amaldi – *riuscì però mai a sapere se facesse ancora della ricerca in fisica teorica; penso di sì, ma non ne ho alcuna prova.*

Lavorava molto, *per un numero di ore del tutto eccezionale.* A che cosa lavorava, se di tutto quel periodo restano la *Teoria simmetrica dell'elettrone e del positrone,* da lui pubblicata nel '37, e il saggio sul *Valore delle leggi statistiche nella fisica e nelle scienze sociali,* pubblicato quattro anni dopo la sua scomparsa? Coloro che sono dell'opinione che non facesse più nul-

la nel campo della fisica, possono anche avere ragione; ma alla pari con coloro che sono dell'opinione esattamente opposta. Scriveva per ore, per
molte ore del giorno e della notte: e che scrivesse
di fisica o di filosofia, il fatto è che di tutte quelle
carte restarono due soli, brevi scritti. Indubbiamente, distrusse tutto poco prima di scomparire:
casualmente lasciando, o volontariamente, il saggio che Giovanni Gentile junior pubblicherà nel
numero febbraio-marzo 1942 della rivista « Scien-
tia ». La conclusione di questo saggio è per noi, che
pochissimo sappiamo di fisica e ancor meno di
scienze sociali, profondamente suggestiva: *La disintegrazione di un atomo radioattivo può obbligare un
contatore automatico a registrarlo con effetto meccanico,
reso possibile da adatta amplificazione. Bastano quindi
comuni artifici di laboratorio per preparare una catena
comunque complessa e vistosa di fenomeni che sia « co-
mandata » dalla disintegrazione accidentale di un solo
atomo radioattivo. Non vi è nulla dal punto di vista strettamente scientifico che impedisca di considerare come
plausibile che all'origine di avvenimenti umani possa
trovarsi un fatto vitale egualmente semplice, invisibile e
imprevedibile. Se è così, come noi riteniamo, le leggi statistiche delle scienze sociali vedono accresciuto il loro ufficio
che non è soltanto quello di stabilire empiricamente la ri-
sultante di un gran numero di cause sconosciute, ma sopratutto di dare della realtà una testimonianza imme-
diata e concreta. La cui interpretazione richiede un'arte
speciale, non ultimo sussidio dell'arte di governo.* Profondamente suggestiva, diciamo, nel senso dell'inquietudine, della paura. Automaticamente, ci sia-

mo trovati a versificarla, a disporre le parole su un foglio in un ritmo di dizione e di visione. Strana operazione e gratuita, si dirà: ma il fatto è che nel condurla abbiamo sentito crescere in noi l'inquietudine, la paura. E provate anche voi, se vi pare: vi troverete di fronte a un tremendo epigramma. (E diciamo epigramma nel significato di composizione poetica breve e concettosa; ma – chissà? – anche ironica, anche beffarda).

La sorella Maria ricorda che Ettore, in quegli anni, frequentemente diceva: *la fisica è su una strada sbagliata* o (non ricorda esattamente) *i fisici sono su una strada sbagliata*; e certo non si riferiva alla ricerca in sé, ai risultati sperimentati o in via di sperimentazione di essa ricerca. Si riferiva forse alla vita e alla morte, voleva forse dire quel che il fisico tedesco Otto Hahn si dice abbia detto quando, al principio del 1939, si cominciò a parlare della «liberazione dell'energia atomica»: *Ma Dio non può volerlo!*

Ma fermandoci a quel che per sicure, concordi testimonianze sappiamo: ed è che Ettore Majorana si comporta in quegli anni da uomo «spaventato». Versi di Eliot o di Montale potrebbero aiutarci a definire il suo «spavento»; personaggi di Brancati a motivarlo psicologicamente. E pensiamo, si capisce, a quei personaggi marginali, come Ermenegildo Fasanaro nel *Bell'Antonio*, che sentono lo spavento di quella specie di «fissione umana», di scatenarsi dell'energia del male nell'uomo, che avviene (1939-1945) sotto i loro occhi; e specialmente pensiamo al protagonista del racconto *La cimice*, cui ci rimanda un dettaglio riferito da Amaldi: che Majorana si era lasciato crescere i capelli *in modo anormale* (allora: ma alla normalità di lasciarsi oggi crescere i capelli non corrisponde un più diffuso, un più generale «spavento»?), al punto che un amico *gli mandò a casa, nonostante le sue proteste, un barbiere.*

Esaurimento nervoso, dicono concordemente i testimoni (e lo dissero anche i medici di famiglia); e alcuni sarebbero costretti a parlare di follia, se non disponessero di questo delicato, «moderno» eufemismo. Ma l'esaurimento nervoso o la follia non sono porte aperte da cui si esce e si entra quando si vuole. Majorana dimostra invece di poter rientrare quando vuole in quella che Amaldi chiama la *vita normale*. E ci rientra, crediamo, per un «normale» ripicco, per un risveglio di quel latente antagonismo nei riguardi di Fermi e dei «ragazzi di via Panisperna», che non erano più ragazzi ma professori ordinarî o incaricati – con tutto quel che comporta, sul piano delle strategie e tattiche interne, sul piano del costume, l'esser professori in Italia, il far parte in Italia della vita accademica (ma non soltanto in Italia). E dispiace dover dire che è un po' una mistificazione la versione che da parte accademica si dà del rientro di Ettore Majorana nella «normalità»: che cioè furono Fermi e gli altri amici a convincerlo di partecipare al concorso per la cattedra di Fisica Teorica. In realtà i conti per l'attribuzione delle tre cattedre messe a concorso erano stati fatti sull'assenza e non sulla partecipazione di Majorana; e la decisione di concorrere crediamo sia scattata in Majorana dal gusto di guastare un giuoco preparato a sua insaputa ed a sua esclusione. Candidamente, Laura Fermi rompe quella specie di omertà che si è stabilita sull'episodio e racconta le cose per come effettivamente sono andate. La terna dei vincitori era stata già tranquillamente decisa, come d'uso, prima della espletazione del concorso; e in quest'ordine: Gian Carlo Wick primo, Giulio Racah secondo, Giovanni Gentile junior terzo. *La commissione, di cui faceva parte anche Fermi, si riunì a esaminare i titoli dei candidati. A questo punto un avvenimento imprevisto rese vane le previsioni: Majorana decise improvvisamente di concorrere, senza consultarsi con nessuno. Le conseguenze della sua decisione erano evidenti: egli sarebbe riuscito primo e Giovannino Gentile non sarebbe entrato in terna.* Di fronte a questo pericolo, il filosofo Giovanni Gentile svegliò in sé le energie e gli accorgimenti del buon padre di famiglia dell'agro di Castelvetrano: dal ministro dell'Educazione Nazionale fece ordinare la sospensione del concorso: e fu ripreso dopo la graziosa eliminazione da concorrente di Ettore Majorana, nominato alla cattedra di Fisica Teorica dell'Università di Napoli per «chiara fama», in base a una vecchia legge del ministro Casati rinvigorita dal fascismo nel 1935. Tutto tornò dunque nell'ordine. E a Majorana toccò di rientrare sul serio nella «normalità»: ché aveva partecipato al concorso soltanto per fare acre scherzo ai colleghi. Tra i quali più tardi, dopo la scomparsa, prese piede la convinzione che fosse fuggito per il panico, il trauma, di dover comunicare, di dover insegnare.

Come a dire che ben gli stava.

VIII

Per un ripicco, per un puntiglio, aveva dunque fatto scattare un meccanismo in cui era rimasto come intrappolato. E questo si può senz'altro ammettere: che si sentisse ormai in trappola – nella trappola di una «normalità» che lo costringeva ad andare avanti, a pubblicare, a tenersi a quel livello di «chiara fama» per cui era stato chiamato alla cattedra; a fare, insomma, con regolarità e continuità, quello che sempre aveva cercato di evitare e negli ultimi anni decisamente evitato, come per una definitiva rinuncia. Non poteva ormai non stare alla pari di un Fermi.

Certo, sentiva anche il disagio di dover insegnare: parlare, comunicare, esporsi. Ma dalle lettere ai familiari e dai ricordi della sorella e di chi in quel periodo lo avvicinò, non pare che l'insegnamento gli desse particolari traumi. Pochi seguivano il suo corso, il che doveva essere per lui ragione di sollievo; e uno solo con attenzione, con interesse: ed era sufficiente ragione di conforto.

La sua vita a Napoli, in quei primi tre mesi del 1938, si svolge tra l'albergo e l'Istituto di Fisica. Con Carrelli, direttore dell'Istituto, dopo la lezione si intratteneva lungamente, parlando di fisica. Benché evitasse di parlarne, anche per accenni, Carrelli aveva l'impressione che stesse lavorando a qualcosa *di molto impegnativo, di cui non desiderava parlare.*

Faceva qualche passeggiata solitaria sul lungomare e si dedicava alla ricerca di una pensione a cui trasferirsi dall'albergo. Stranamente, nonostante i *buoni indirizzi* che dice di avere avuto e nonostante il 22 gennaio annunci alla madre il suo prossimo trasferimento dall'albergo alla pensione, pare non riuscisse a trovarla, se in febbraio lascia l'albergo Terminus per il Bologna: più pulito, più confortevole. E qui insorge il nostro primo dubbio, il nostro primo sospetto: che appunto in gennaio l'avesse trovata e che da allora, preparandosi a scomparire, tra la pensione e l'albergo facesse doppia vita. Perché la sua scomparsa noi la vediamo come una minuziosamente calcolata e arrischiata architettura; qualcosa di simile alla beffa architettata da Filippo Brunelleschi a danno del Grasso Legnaiuolo. Una di quelle costruzioni leggere ed aeree che basta «un niente» a farle crollare, ma appunto si reggono perché quel «niente» è stato calcolato. Certo, al di là del calcolo, ci sono gli imponderabili, gli imprevedibili: la beffa, a che riuscisse in pieno, non dipendeva, come per la cupola di Santa Maria del Fiore, soltanto dal calcolo, dalla perizia, dalla vigilanza di ser Filippo; ci voleva anche della fortuna, come in ogni cosa in cui l'imprevedibile può aver gioco e sdirupare il tutto. E la fortuna non mancò a Brunelleschi. Ma apparirebbe cinico il dire che forse non mancò nemmeno a Ettore Majorana: il fatto è però che lui, da morto o da vivo, nel suicidio o nella fuga, voleva scomparire; e tutti quegli imprevedibili che non scattarono a farlo ritrovare sono dunque da vedere, per quel che lui volle, come segni di quella che si usa chiamare fortuna.

Ma andiamo per ordine. È da notare intanto che per le due lezioni settimanali che teneva all'Università, lo stare a Napoli non era poi necessario, considerando che aveva casa a Roma. Indubbiamente lo stare in albergo, più solo di quanto non riuscisse ad essere in famiglia, gli piaceva. Dalle lettere da Napoli si nota anche, rispetto a quelle dalla Germania, un che di più distaccato, di più lontano, nei rapporti coi familiari: e specialmente si noterà nell'ultimo messaggio. Forse nella « normale » contentezza dei familiari per la sua ritrovata o trovata « normalità », nel loro orgoglio per l'eccezionale riconoscimento che gli era stato tributato con la nomina per « chiara fama », egli ravvisava e nella sua esasperata sensibilità ingrandiva, un elemento di incomprensione. Comunque, a Napoli aveva fatto un altro passo verso la compiuta solitudine cui aspirava. Gliene restava da fare un altro ancora, definitivo.

A questo passo, a risolverne le difficoltà e ad assicurarsene l'esito, crediamo abbia « meditato » lungamente. Quasi certamente apocrifa, la frase che si attribuisce a Bocchini – *i morti si trovano, sono i vivi che possono scomparire* – si attaglia perfettamente al caso, ma con l'aggiunta che soltanto i vivi intelligenti possono scomparire senza lasciar traccia o, lasciandone inevitabilmente qualcuna, fare previsione giusta, esatto calcolo, dell'errata valutazione che ne faranno gli altri e di come maldestramente sarà seguita. Gli altri – e cioè la polizia. E qui crediamo che a Majorana, per un giudizio sulla polizia che rimandiamo a quello di Bergotte sul professor Cottard, sia valsa l'esperienza acquisita sui tanti « verbali » che costituivano la parte fondamentale di quei più che ventimila fogli con cui Dante e Sara Majorana erano stati consegnati alla Corte d'Assise di Firenze.

La sera del 25 marzo, Ettore Majorana partiva col « postale » Napoli-Palermo, alle 22,30. Aveva impostata una lettera per Carrelli, direttore dell'Istituto di Fisica, e una ne aveva lasciata in albergo indirizzata ai familiari. Perché non avesse impostata anche questa, è facile capirlo: aveva calcolato come si dovevano svolgere, ed effettivamente si svolsero, le cose; e in modo che i familiari ricevessero non brutalmente la notizia, ma per gradi. Le lettere sono già note, da quando il professor Erasmo Recami, un giovane fisico che si occupa delle carte di Majorana alla Domus Galileiana, le ha pubblicate. Ma crediamo sia necessario rileggerle. Quella diretta a Carrelli: *Caro Carrelli, Ho preso una decisione che era ormai inevitabile. Non vi è in essa un solo granello di egoismo, ma mi rendo conto delle noie che la mia improvvisa scomparsa potrà procurare a te e agli studenti.*

Anche per questo ti prego di perdonarmi, ma sopra tutto per aver deluso tutta la fiducia, la sincera amicizia e la simpatia che mi hai dimostrato in questi mesi. Ti prego anche di ricordarmi a coloro che ho imparato a conoscere e ad apprezzare nel tuo Istituto, particolarmente a Sciuti; dei quali tutti conserverò un caro ricordo almeno fino alle undici di questa sera, e possibilmente anche dopo.

Che vuol dire *non vi è in essa un solo granello di egoismo*, se non che la decisione veniva da tutt'altro sentimento e intendimento, da tutt'altro dolore che quello della gastrite e déll'emicrania al quale alcuni tendono a legarla? La frase sta lì netta, senza equivoci: eppure finora come in una specie di invisibilità. È poi da notare l'ambiguità in cui si colloca quell'ora, le *undici di questa sera*: al vertice dell'incertezza sull'immortalità dell'anima, del dubbio; ma al tempo stesso sul confine tra la vita e la morte, tra la decisione di morire e quella di continuare a vivere. E perché poi quell'ora precisa? E non era l'ora meno indicata per attuare, sul piroscafo Napoli-Palermo, il suicidio? Partendo alle 22,30, alle 23 il piroscafo era ancora nel golfo di Napoli, ancora in vista del porto, delle luci della città; e i viaggiatori tutti sopracoperta, i marinai tutti in movimento. Un uomo che si butta in mare a mezz'ora dalla partenza di una nave rischia, se non di essere salvato, di esser visto. Possibile che Majorana, se davvero avesse avuto l'intenzione di suicidarsi, non sapesse calcolarlo?

Ci deve essere in questo numero – undici – un qualche mistero, un qualche messaggio. Forse un matematico, un fisico, un esperto di cose marittime, potrebbero tentare di decifrarlo. A meno che

Majorana non l'avesse messo lì appunto perché si credesse a un'intenzione, a un messaggio: e per un po' noi abbiamo creduto che lui avesse calcolato l'ora in cui, per i movimenti del mare nel golfo di Napoli, il suo corpo non si sarebbe più ritrovato.

Abbiamo visto altre lettere di suicidi: e in tutte c'è, anche nella grafia, un'alterazione più o meno forte, sempre. Un che di scomposto, di caotico. Nelle due di Majorana c'è invece un ordine, un preordine, una compostezza, un gioco al limite dell'ambiguità che non possono non essere voluti: conoscendolo come ormai lo conosciamo. Anche la parola *scomparsa*, in luogo di morte o fine, crediamo che sia stata usata perché venisse intesa come eufemismo mentre non lo era.

Ed ecco la lettera, se lettera si può chiamare, ai familiari: *Ho un solo desiderio: che non vi vestiate di nero. Se volete inchinarvi all'uso, portate pure, ma per non più di tre giorni, qualche segno di lutto. Dopo ricordatemi, se potete, nei vostri cuori e perdonatemi.* Anche qui un numero: tre. 3, 11, 3 + 11 = 14. Possono avere un significato, questi numeri? Non sappiamo di numeri, sappiamo di parole. E di parole, nel breve messaggio, ce ne sono due che avranno ferito: *se potete.*

Carrelli non aveva ancora ricevuto la lettera quando un telegramma urgente di Majorana, da Palermo, lo pregava di non tenerne conto. Ebbe poi la lettera, capì il senso del telegramma, telefonò a Roma ai Majorana. Gli arrivò poi un'altra lettera di Ettore, da Palermo, su carta intestata del Grand Hotel

Sole: *Caro Carrelli, Spero ti siano arrivati insieme il telegramma e la lettera. Il mare mi ha rifiutato e ritornerò domani all'albergo Bologna, viaggiando forse con questo stesso foglio. Ho però intenzione di rinunziare all'insegnamento. Non mi prendere per una ragazza ibseniana perché il caso è differente. Sono a tua disposizione per ulteriori dettagli.*

La lettera è del 26 marzo. Secondo gli accertamenti della polizia, la sera dello stesso giorno, alle sette, Majorana si imbarcò sul «postale» per Napoli; e a Napoli sbarcò l'indomani, alle 5,45. Ma noi abbiamo qualche dubbio: e non nell'ipotesi che si sia gettato in mare nel viaggio di ritorno, ma nell'ipotesi che non sia salito sul piroscafo la sera del 26, a Palermo.

IX

Che il viaggio fosse stato effettuato fino allo sbarco a Napoli, lo diceva il biglietto di ritorno che era stato consegnato e si trovava alla direzione della «Tirrenia». Che nella cabina, corrispondente a quella assegnata dal biglietto a Ettore Majorana, avesse viaggiato una persona che poteva essere lui, lo diceva il professor Vittorio Strazzeri, che aveva passato la notte nella stessa cabina.

Dai biglietti riconsegnati, risultava che in quella cabina avevano viaggiato l'inglese Carlo Price, Vittorio Strazzeri ed Ettore Majorana. Impossibile rintracciare il Price; ma fu facile arrivare al professor Strazzeri, docente all'Università di Palermo.

Sollecitato da una lettera del fratello di Ettore (alla quale, è ovvio pensarlo, sarà stata acclusa una fotografia), il professor Strazzeri esprime due dubbî: di avere effettivamente viaggiato con Ettore Majorana e che «il terzo uomo» fosse un inglese. Ha comunque una *assoluta convinzione: se la persona che*

*ha viaggiato con me era suo fratello, egli non si è soppres-
so almeno fino all'arrivo a Napoli.* In quanto all'inglese,
non mette in dubbio che si chiamasse Price, ma
parlava italiano *come noi, gente del sud* ed aveva modi
piuttosto rozzi, da negoziante o giù di lì. Siamo davvero al «terzo uomo». Ma il problema non è di
difficile soluzione. Dato che il professor Strazzeri
ha scambiato qualche parola con l'uomo che doveva essere Carlo Price e nessuna con quello che doveva essere Ettore Majorana, è facile ed attendibile
l'ipotesi che l'uomo che non parlò, e che Strazzeri
seppe poi doveva essere Ettore Majorana, fosse invece l'inglese; mentre colui che poi gli dissero doveva essere il Price, fosse invece un siciliano, un
meridionale, un negoziante quale appariva, che
viaggiava al posto di Majorana. E nulla di romanzesco, in questo: Majorana poteva essere andato alla
biglietteria della «Tirrenia» all'ora opportuna e
aver regalato il suo biglietto a uno che stava per farlo e che magari – per età, statura, colore dei capelli – un po' gli somigliasse (nulla di più facile che
trovare, anche in un numero ristretto di siciliani, il
tipo «saraceno»). Se non si accetta questa ipotesi,
si deve o destituire di attendibilità la testimonianza
del professor Strazzeri o puntare – come qualcuno
ha tentato – sul romanzesco del Price che non fosse
Price, ma un meridionale, un siciliano travestito da
inglese che seguiva Majorana e ne dirigeva le azioni. E su questa strada si può anche arrivare all'ame-
nità della mafia che si dedicasse alla tratta dei fisici
come a quella delle bianche.

Ma al di qua o al di là di ogni ipotesi, resta significativo il fatto che il professor Strazzeri non è per

niente sicuro di aver viaggiato con Ettore Majorana ed è invece sicuro che la persona che poteva essere Majorana è sbarcata a Napoli. È tanto sicuro che suggerisce al fratello di cercarlo in qualche convento: è capitato altre volte, dice, che persone *non molto religiose* si siano chiuse in un convento – e in ciò è evidente il suo pregiudizio che un uomo di scienza non può che essere lontano dalla religione, se non addirittura irreligioso. Ma sbagliava. Ettore Majorana era religioso. Il suo è stato un dramma religioso, e diremmo pascaliano. E che abbia precorso lo sgomento religioso cui vedremo arrivare la scienza, se già non c'è arrivata, è la ragione per cui stiamo scrivendo queste pagine sulla sua vita.

La lettera del professor Strazzeri, il suo suggerimento a cercare nei conventi, è del 31 maggio. Ma abbiamo visto che già il 16 aprile Giovanni Gentile suggeriva a Bocchini una ricerca nei conventi: e certo per suggerimento dei familiari.

Il 17 luglio, nella rubrica « Chi l'ha visto? » del più popolare settimanale italiano, « La Domenica del Corriere », veniva fuori una piccola fotografia e una descrizione dello scomparso Ettore Majorana: *Di anni 31, alto metri 1,70, snello, con capelli neri, occhi scuri, una lunga cicatrice sul dorso di una mano. Chi ne sapesse qualcosa è pregato di scrivere al R.P. Marianecci, Viale Regina Margherita 66, Roma.* Ne sapeva qualcosa il Superiore della Chiesa detta del Gesù Nuovo, a Napoli: disse che negli ultimi giorni di marzo o nei primi di aprile, un giovane, che con minimo margine di incertezza riconosceva nella fotografia di Ettore Majorana, si era presentato a lui chiedendo di essere ospitato in un ritiro per fare esperimento di vita religiosa. La proprietà della frase, corrispondente alla prassi, fa pensare che il giovane quella prassi non ignorasse. L'essersi presentato ai gesuiti, che ci fossero delle ragioni di affezione o di consuetudine. Ed Ettore Majorana era stato alunno del «Convitto Massimo» di Roma e ben conosceva regole e disciplina (una specie di attestato rilasciato dal Convitto, per il periodo che va dal 15 dicembre 1917 al 27 gennaio 1918, gli assegna questo punteggio: Pietà 10, Disciplina 10, Studio 10, Urbanità 10 – riguardo alla «camerata»; riguardo alla scuola, si mantiene al 10 per la Condotta, ma scende al 9 per la Diligenza e per il Profitto. E questo 10 in Pietà – che sappiamo benissimo non è la «nostra» pietà – ci è suggestivo).

Il Superiore, reso diffidente dall'agitazione che il giovane non riusciva a nascondere, disse che sì, era possibile; ma non subito. Che ritornasse. Ma non ritornò.

Gli ultimi di marzo, i primi di aprile. Prima della partenza per Palermo e delle lettere che annunciavano il suicidio o dopo, al ritorno a Napoli? Perché a Napoli, stando alla testimonianza dell'infermiera, tornò: anche se non col «postale» del 27 marzo. E l'infermiera non era una qualsiasi infermiera, una che lo conosceva appena e gratuitamente, come accade, si intrufolava nella vicenda: era la sua infermiera, quella di cui parla in una lettera alla madre e che gli aveva dato *buoni indirizzi* per la pensione che cercava. La sua testimonianza era in effetti l'unico elemento imponderabile, imprevedibile, che fosse scattato a rompere quello che crediamo il disegno, l'organizzazione, che Majorana aveva fatto della propria scomparsa: e se vi si fosse aggiunto l'imponderabile, l'imprevedibile, di una polizia che la prendesse sul serio, forse non staremmo a fare ipotesi sulla scomparsa di Majorana. Ma ponderabile e prevedibile era che la polizia non vi facesse caso, che relegasse la sua testimonianza tra le piccole mitomanie che sempre insorgono intorno ai casi misteriosi.

I familiari credettero all'infermiera e credettero che il Superiore del Gesù Nuovo avesse visto Ettore dopo il 27 marzo. Tutti i familiari, riteniamo, fino a un certo punto nel tempo: la madre sempre, fino alla morte; e lo ricordò nel testamento col lasciargli – *per quando tornerà* – la parte che dell'eredità gli spettava. E noi siamo convinti che avesse ragione.

La sua lettera a Mussolini non delira di amore materno e di speranza: dice cose oggettivamente vere ed esatte. E specialmente questa, che ne è il centro: *Fu sempre savio ed equilibrato e il dramma della sua anima o dei suoi nervi sembra dunque un mistero. Ma una cosa è certa, e l'attestano con grande sicurezza tutti gli amici, la famiglia, ed io stessa che sono la madre: non si notarono mai in lui precedenti clinici o morali che possano far pensare al suicidio; al contrario, la serenità e la severità della sua vita e dei suoi studi permettono, anzi impongono, di considerarlo soltanto come una vittima della scienza.*

Altre cose assolutamente sensate, che sarebbero rimaste sensate anche se passate al vaglio della men-

75

talità poliziesca, la madre dice in quella lettera: di cercarlo nelle campagne, in qualche casa di contadino dove più lungamente poteva far durare il denaro che aveva portato con sé, e di segnalare ai consolati il numero del passaporto e il fatto che gli scadesse in agosto...

Perché, altro elemento da tener presente contro la tesi del suicidio, Ettore Majorana portò con sé passaporto e denaro. Il 22 gennaio aveva chiesto alla madre che al fratello Luciano facesse ritirare dalla banca la sua parte del conto e gliela mandasse *tutta*. E poco prima del 25 marzo, giorno in cui era partito per Palermo annunciando il suicidio, aveva preso gli stipendi da ottobre a febbraio che fino a quel momento non si era curato di ritirare. Non aveva il senso del denaro, come dimostrano quei cinque stipendi per cinque mesi come dimenticati: ma che l'acquistasse proprio alla vigilia di suicidarsi, non sembra verosimile. C'è una sola, semplice spiegazione: ne aveva bisogno, per quel che intendeva fare.

Ce n'è poi un'altra, più complicata: che l'incongruenza di un suicida che portasse con sé quanto più denaro poteva e il passaporto, servisse ad alimentare nella madre l'illusione di crederlo ancora vivo, la speranza che non si fosse suicidato. Ma è contraddetta, questa spiegazione, da quella raccomandazione a non portare abiti da lutto o di portarne soltanto qualche segno per non più di tre giorni, i tre giorni del «lutto stretto» siciliano. Chiaramente, voleva che si credesse alla sua morte.

X

Preparandosi a «una» morte o «alla» morte, preparandosi a una condizione in cui dimenticare, dimenticarsi ed essere dimenticato (che è della morte vera e propria ma può anche essere della morte soltanto anagrafica, se si ha l'accortezza o la vocazione di non tornare a intricarsi con «gli altri», di guardare alla loro vita e ai loro sentimenti con l'occhio di un entomologo; accortezza o vocazione di cui mancò del tutto Mattia Pascal ed ebbe invece, più di vent'anni dopo, Vitangelo Moscarda: e ricordiamo questi due personaggi pirandelliani anche per il fatto che a livello giornalistico e televisivo è stata data per certa un'affezione, come a modello, di Ettore Majorana a Mattia Pascal; mentre più si confaceva alle sue aspirazioni il protagonista di *Uno, nessuno e centomila*); preparando dunque la propria scomparsa, organizzandola, calcolandola, crediamo baluginasse in Majorana – in contraddizione, in controparte, in contrappunto – la coscienza che i dati della sua breve vita, messi in relazione al mistero della sua scomparsa, potessero costituirsi in mito. La scelta – di apparenza o reale – della «morte per acqua», è indicativa e ripetitiva di un mito: quello dell'Ulisse dantesco. E il non far ritrovare il corpo o il far credere che fosse in mare sparito, era un ribadire l'indicazione mitica. Già lo scomparire ha di per sé, e in ogni caso, un che di mitico. Il corpo che non si trova e la cui morte, non potendo essere celebrata, non è «vera» morte; o la diversa identità e vita – non «vera» identità, non «vera» vita – che lo scomparso altrove conduce, entrando nella sfera dell'invisibilità, che è essenza del mito, obbligano a una memoria, oltre che burocratica e giudiziaria (la «morte presunta» viene dichiarata a cinque anni dalla scomparsa), di pietà insoddisfatta, di implacati risentimenti. Se i morti sono, dice Pirandello, «i pensionati della memoria», gli scomparsi ne sono gli stipendiati: di un più ingente e lungo tributo di memoria. In ogni caso. Ma specialmente in un caso come quello di Ettore Majorana, nel cui mitico scomparire venivano ad assumere mitici significati la giovinezza, la mente prodigiosa, la scienza. E crediamo che Majorana di questo tenesse conto, pur nell'assoluto e totale desiderio di essere «uomo solo» o di «non esserci più»; che insomma nella sua scomparsa prefigurasse, avesse coscienza di prefigurare, un mito: il mito del rifiuto della scienza.

Nato in questa Sicilia che per più di due millenni non aveva dato uno scienziato, in cui l'assenza se non il rifiuto della scienza era diventata forma di vita, il suo essere scienziato era già come una dissonanza.[1] Il «portare» poi la scienza come parte di sé, come funzione vitale, come misura di vita, doveva essergli di angoscioso peso; e ancor più nell'intravedere quel peso di morte che sentiva di portare oggettivarsi nella particolare ricerca e scoperta di un segreto della natura: depositarsi, crescere, diffondersi nella vita umana come polvere mortale. *In una manciata di polvere ti mostrerò lo spavento*, dice

1. Ovviamente, l'affermazione non vuole essere apodittica nel senso che in Sicilia per più di due millenni non è venuto fuori uno scienziato perché i siciliani sono negati alla scienza. Una simile affermazione da parte nostra sempre presuppone delle ragioni storiche: e tra queste la presenza – più lunga, più continua, più invadente e capillare che in altre regioni d'Italia – dell'Inquisizione, dell'Inquisizione spagnola. Ragione per cui anche la Spagna può, per luogo comune, essere considerata un paese negato alla scienza. Altrettanto ovviamente, non si vuol dire che in Sicilia, da Archimede a Majorana, proprio nessuno si sia dedicato alla scienza. C'è stato un Maurolico; ci sono stati Bernardino d'Ucria e il Bottone, botanici; c'è stato il Campailla, filosofo e sperimentatore; l'Ingrassia, notomista; il Cannizzaro, chimico. Precedenti immediati a Ettore Majorana si possono poi considerare la «scuola matematica di Palermo» e – precedente anche familiare – il fisico Quirino Majorana. Il quale, professore all'Università di Bologna, per tutta la vita si adoperò a dimostrare fallace la teoria della relatività, senza mai riuscirvi e onestamente riconoscendo di non riuscirvi: il che non gli impedìva di continuare ostinatamente a combatterla. Un caso che ci sembra «molto siciliano». E saremmo curiosi di sapere quali fossero i rapporti, quali le discussioni in ordine alla teoria della relatività, tra zio e nipote: tra Ettore che ci credeva e Quirino che rifiutava di accettarla.

il poeta. E questo spavento crediamo abbia visto Majorana in una manciata di atomi.

Ha precisamente visto la bomba atomica? I competenti, e specialmente quei competenti che la bomba atomica l'hanno fatta, decisamente lo escludono. Noi non possiamo che elencare dei fatti e dei dati, che riguardano Majorana e la storia della fissione nucleare, da cui vien fuori un quadro inquietante. Per noi incompetenti, per noi profani.

Nel 1931, Irène Curie e Frédéric Joliot *come un effetto Compton sui protoni* avevano interpretato i risultati di certi loro esperimenti. Leggendo questa loro interpretazione, Majorana aveva detto subito – concorde la testimonianza di Segrè e di Amaldi – quello che Chadwick il 17 febbraio del '32 scriveva in una lettera alla rivista «Nature». Solo che Chadwick, se il titolo della lettera non ci inganna, proponeva la sua interpretazione come possibile (*Possible existence of a neutron*), mentre Majorana con sicurezza e ironia aveva immediatamente detto: *Che sciocchi, hanno scoperto il protone neutro e non se ne sono accorti.*

Nel 1932, sei mesi prima che Heisenberg pubblicasse il suo lavoro sulle «forze di scambio», Majorana, come abbiamo visto, aveva enunciato la stessa teoria tra i colleghi dell'Istituto romano e respinto la loro esortazione a pubblicarla. Quando Heisenberg la pubblica, il suo commento è che aveva detto tutto quel che si poteva dire sull'argomento e

80

probabilmente anche troppo. Un «troppo» scientifico o un «troppo» diciamo morale?

Nel 1937 Majorana pubblica una *Teoria simmetrica dell'elettrone e del positrone* che, ci par di capire, non è entrata in esatta circolazione se non dopo vent'anni, con la scoperta di Lee e Yang delle *elementary particles and weak interaction.*

Questi tre dati mostrano una profondità e prontezza di intuizione, una sicurezza di metodo, una vastità di mezzi e una capacità di rapidamente selezionarli, che non gli avrebbero precluso di capire quel che altri non capiva, di vedere quel che altri non vedeva – e insomma di anticipare, se non sul piano delle ricerche e dei risultati, sul piano della intuizione, della visione, della profezia. Amaldi dice: *alcuni dei problemi da lui trattati, i metodi seguiti nella loro trattazione e, più in generale, la scelta dei mezzi matematici per affrontarli, mostrano una naturale tendenza a precorrere i tempi che in qualche caso ha quasi del profetico.* E Fermi, conversando con Giuseppe Cocconi nel 1938, dopo la scomparsa: *Perché, vede, al mondo ci sono varie categorie di scienziati. Persone di secondo e terzo rango, che fan del loro meglio ma non vanno molto lontano. Persone di primo rango, che arrivano a scoperte di grande importanza, fondamentali per lo sviluppo della scienza. Ma poi ci sono i geni, come Galileo e Newton. Ebbene, Ettore Majorana era uno di quelli. Majorana aveva quel che nessun altro al mondo ha; sfortunatamente gli mancava quel che invece è comune trovare negli altri uomini: il semplice buon senso.*

Se il giudizio di Fermi è stato esattamente riportato, è evidente una dimenticanza: un genio come Galileo e Newton in quel momento c'era nel mondo, ed era Einstein. Comunque, Majorana era secondo Fermi un genio. E perché dunque non avrebbe potuto vedere o intuire quel che gli scienziati di terzo, secondo e primo rango ancora non vedevano o non intuivano? Peraltro, già nel 1921, parlando delle ricerche atomiche di Rutherford, un fisico tedesco aveva avvertito: *Viviamo su un'isola di fulmicotone*; ma aggiungeva che, grazie a Dio, ancora non avevano trovato il fiammifero per accenderla (è evidente che non gli passava per la testa di non accendere il fiammifero, una volta trovato). Perché quindici anni dopo un genio della fisica, trovandosi di fronte alla virtuale, anche se non riconosciuta, scoperta della fissione nucleare, non potrebbe aver capito che il fiammifero c'era già ed essersene allontanato – poiché mancava di buon senso – con sgomento, con terrore?

È storia ormai a tutti nota che Fermi e i suoi collaboratori ottennero senza accorgersene la fissione (allora scissione) del nucleo di uranio nel 1934. Ne ebbe il sospetto Ida Noddack: ma né Fermi né altri fisici presero sul serio le sue affermazioni se non quattro anni dopo, alla fine del 1938. Poteva benissimo averle prese sul serio Ettore Majorana, aver visto quello che i fisici dell'Istituto romano non riuscivano a vedere. E tanto più che Segrè parla di «cecità». *La ragione della nostra cecità non è chiara nemmeno oggi*, dice. Ed è forse disposto a considerarla come provvidenziale, se quella loro cecità impedì a Hitler e Mussolini di avere l'atomica.

Non altrettanto – ed è sempre così per le cose provvidenziali – sarebbero stati disposti a considerarla gli abitanti di Hiroshima e di Nagasaki.

XI

La turpe cospirazione del bestiale Caliban contro la vita, mi è passata di mente. Una breve parola – *mia*, la mia vita – è volata via dalla battuta di Prospero: e così ce la ripetiamo andando dietro al padre certosino che guida la nostra visita a questo antico convento. È un olandese. Ha la nostra stessa età. Alto, magro. Appoggiandosi a un lungo e rozzo bastone, di quelli dei pastori e degli eremiti, cammina trascinandosi dolorosamente un piede grosso di bendature. Parla meccanicamente della storia dell'ordine, della storia del convento: ma di tanto in tanto si volta e, indugiando su una frase, su una parola, ci guarda fissamente di uno sguardo chiaro in cui trascorre però una luce di diffidenza, di ironia. È come se indovinasse le domande che vorremmo fare. E le previene: disarmato, disarmante. Nella storia dell'ordine, dice, non ci sono glorie letterarie o scientifiche; la sola cosa degna di nota che abbia fatto un certosino, in questo convento, è la copiatura di un'antica cronaca.

Ma dal momento in cui siamo arrivati in questa specie di cittadella tra i boschi, ogni nostra ansietà e curiosità è caduta. La frase di Prospero batte nella memoria come tra nude pareti: *La turpe cospirazione del bestiale Caliban contro la vita, mi è passata di mente.* A momenti ne aggancia altre, dello stesso Prospero, nella stessa scena dell'atto IV de *La tempesta*, penultima opera di Shakespeare, ultima in un certo senso: *Questi nostri attori, come del resto avevo già detto, erano soltanto degli spiriti, e si sono dissolti nell'aria, nell'aria sottile. E simili in tutto alla fabbrica senza fondamento di questa visione, le torri incappucciate di nubi, gli splendidi palazzi, i sacri templi, lo stesso globo terrestre e tutto quel che vi si contiene, s'avvieranno al dissolvimento e, al modo di quello spettacolo senza corpo che avete visto ora dissolversi, non lasceranno dietro a sé nemmeno uno strascico di nube. Noi siamo fatti della stessa sostanza di cui sono fatti i sogni, circondata dal sonno è la nostra breve vita.* Perché queste visioni – il vasto giardino al cui centro sono, come in una pittura di monsù Desiderio, le arcate e la facciata di una chiesa: «diruta», dice l'opuscolo di cui il certosino ci ha fatto omaggio, da un terremoto; i lunghi e deserti corridoi; le celle vuote, ognuna con una finestra il cui davanzale è scrittoio (soluzione, dice il certosino, molto apprezzata da Le Corbusier); le antiche immagini, ingiallite e tarlate acqueforti, del fondatore dell'ordine – ci dànno un senso di dissolvimento e di irrealtà, come di un sogno quando si sa di sognare. Ma forse il richiamo dell'una battuta all'altra ha più a che fare col senso del nostro viaggio, della nostra visita: qualcuno qui, in questo convento, si è forse salvato dal tradire la vita tradendo la cospirazione contro la vita; ma la cospirazione non si è spenta per quella defezione, il dissolvimento continua, l'uomo sempre più si disgrega e svanisce in quella stessa sostanza di cui sono fatti i sogni. E non è già un sogno di quel che l'uomo «era» l'ombra rimasta come stampata su qualche brandello di muro, a Hiroshima?

Ecco: abbiamo fatto questo viaggio, siamo entrati in questa cittadella dei certosini, per seguire una sottile, inquietante traccia di Ettore Majorana. Una sera, a Palermo, parlavamo della sua misteriosa scomparsa con Vittorio Nisticò, direttore del giornale «L'Ora». Improvvisamente, Nisticò ebbe un preciso ricordo: giovanissimo, negli anni della guerra o dell'immediato dopoguerra, insomma intorno al 1945, aveva visitato, in compagnia di un amico, un convento certosino; e ad un certo punto della visita, da un «fratello» (i «fratelli» sono più nel mondo che i «padri»: fanno quella vita attiva che ai «padri» consente di far vita contemplativa, le ore che i «padri» passano nello studio e nelle letture spirituali loro le passano a cucinare e a coltivar l'orto, frequentemente escono, liberamente trattano con la gente di fuori), avevano avuto la confidenza che nel convento, tra i «padri», si trovava «un grande scienziato».

Ad aver conferma della giustezza del ricordo, subito telefonò all'amico che l'aveva accompagnato in quella visita. L'amico confermò, precisando che il «fratello» da cui avevano avuto quella confidenza era nipote dello scrittore Nicola Misasi. Ma l'essere Nisticò giornalista gli fece presumere che cercasse qualcosa di più attuale, qualcosa di cui più recentemente si era parlato, che non la traccia di quello scienziato di cui trent'anni prima aveva loro parlato il nipote di Misasi. E aggiunse perciò che si diceva sì, ma cosa certa non era, una voce, una diceria, che nel convento, in quel convento, fosse stato o ancora si trovasse uno dell'equipaggio del B-29 che aveva sganciato su Hiroshima l'atomica.

Savinio[1] si diceva certo che le rovine di Troia fossero quelle scoperte da Schliemann, per il fatto che durante la prima guerra mondiale il cacciatorpediniere inglese *Agamennon* le aveva cannoneggiate. Se l'ira non ancora sopita di Agamennone non li avesse animati, perché mai quei cannoni avrebbero sparato su delle rovine in una landa? I nomi, non che un destino, sono le cose stesse.

Assurdo e mistero in tutto, Giacinta: dice il poeta Jo-

1. Alberto Savinio: il più grande scrittore italiano tra le due guerre (fratello – si chiamava Andrea De Chirico – del più grande pittore italiano di quel periodo e oltre). Ma chi conosce i suoi libri, in Italia, nonostante la volenterosa ristampa che in questi anni di due o tre se ne è fatta? Lo stesso Savinio, parlando qualche volta di lettori mediocri o imbecilli, diceva: ma esistono tra i lettori di Savinio i mediocri o gli imbecilli? Non una domanda, ma un'affermazione: era certo che non ne esistessero. Ma ora, spaventosamente cresciuto il numero dei mediocri, e ancor più quello degli imbecilli, crediamo si sia assottigliato, fino a diventar sparuto, il numero – potenziale o in atto – dei lettori di Savinio. Speriamo che la traduzione delle sue opere in francese, la cui pubblicazione è cominciata quest'anno presso Gallimard, gli faccia guadagnare fuori d'Italia quei lettori che in Italia, non che aumentare, gli vengono meno.

sé Moreno Villa.[1] In tutto è invece «razionale» mistero di essenze e rispondenze, continua e fitta trama – da un punto all'altro, da una cosa all'altra, da un uomo all'altro – di significati: appena visibili, appena dicibili. Nel momento in cui Nisticò ci diceva della inaspettata, insospettata, incredibile notizia che la lontana voce dell'amico gli aveva rivelata, noi abbiamo vissuto una esperienza di rivelazione, una esperienza metafisica, una esperienza mistica: abbiamo avuto, al di là della ragione, la razionale certezza che, rispondenti o no a fatti reali e verificabili, quei due fantasmi di fatti che convergevano su uno stesso luogo non potevano non avere un significato. Il sospetto di Nisticò, che «il grande scienziato» di cui gli aveva parlato trent'anni prima il «fra-

1. Tanto per continuare al modo di Savinio: questo verso, che resta indelebile nella memoria, grazie a quel nome femminile da noi poco consueto anche se Capuana ne fece il titolo di un romanzo niente male (José Moreno Villa dà a Jacinta l'attributo di «peliculera» – parola intraducibile se non con le espressioni patita del cinema, invasata del cinema e dei suoi miti, aspirante a far del cinema; ma che Montale, per esigenza di verso, traduce in «fotogenica»); questo verso potrebbe riassumere tutta la poesia di Moreno Villa, se si facesse quel gioco cretino che tra futurismo e frammentismo qualcuno ha fatto sulla poesia italiana: un verso che sia tutto un poeta, un verso da salvare in una microscopica antologia. E fu fatta eccezione per il solo Dante, di cui se ne salvarono due. Questi giochi cretini è però sintomatico che vengano proposti nei momenti disperati: come in questo dopoguerra, quando venne fuori quello dei dieci libri da salvare – da salvare dalla distruzione atomica. Come se bastasse salvare i dieci libri, se poi non si salvano gli uomini in grado di leggerli. E così, questo breve giro alla Savinio, ci ha riportati al nostro tema.

tello» Misasi poteva anch'essere Majorana; la diceria che nello stesso convento fosse arrivato, e forse ancora vi si trovasse, l'ufficiale americano che era stato preso dai rimorsi per aver comandato o aver fatto parte dell'equipaggio di quell'aereo fatale – potevano queste due cose non essere messe in relazione tra loro, non riflettersi l'una nell'altra, non spiegarsi a vicenda, non avere il valore di una rivelazione?

Ma ora, dietro al certosino che ci guida per corridoi, scale e celle, non abbiamo voglia di far domande, di verificare. Ci sentiamo coinvolti, tenuti all'osservanza di un segreto. Ne facciamo qualcuna, di domande: ma solo quando il certosino si volta a guardarci, a scrutarci. Aspettandole: sempre con quel suo sguardo chiaro in cui trascorrono diffidenza e ironia. Ci sono americani, nel convento? No, in questo momento non ce ne sono; uno ce n'è stato per due anni. Andato via anche dall'ordine, ci pare di capire: da un discorso che fa sugli americani, in prima ardenti ad abbracciar quella vita, poi inquieti, poi stanchi. Dell'impossibilità che ci siano scienziati tra i certosini, ci ha già detto prevenendo la domanda. Ma se uno fosse stato «prima» scienziato, «prima» scrittore o pittore? Allarga le braccia, leggermente sorride.

E siamo al cimitero: trenta tumuli di terra rossastra foggiati come coperchi di sarcofagi, una croce di legno nero su ogni tumulo. Senza nomi. Ogni «padre» o «fratello» che muore viene posto accanto ad un altro: nell'ordine dell'ultimo che raggiunge il più antico. Sul terzo tumulo da sinistra ci sono dei fiori: vi è stato sepolto il priore che è morto qualche mese fa. Il prossimo che morirà, andrà nel quarto: accanto ad uno morto più di trent'anni fa.

Una inviolabile pace è tra quelle croci nere. Ci sentiamo in pace anche noi.

Sulla soglia, salutandoci, il certosino domanda: *Ho dato risposta a tutti i vostri quesiti?* Dice proprio così: *quesiti.* Nell'incertezza del suo italiano o nella certezza del suo latino?

Ne abbiamo posti pochi, lui ne ha indovinati molti ed elusi. Ma rispondiamo che sì.

Ed è vero.

UNO STRAPPO NEL CIELO DI CARTA
DI LEA RITTER SANTINI

E quando, coll'andar del tempo, avrete scoperto tutto lo scopribile, il vostro progresso non sarà che un progressivo allontanamento dall'umanità. Tra voi e l'umanità può scavarsi un abisso così grande, che ad ogni vostro eureka rischierebbe di rispondere un grido di dolore universale...

BERTOLT BRECHT, *Vita di Galileo*

L'idea che un elettrone esposto a una radiazione scelga liberamente l'attimo e la direzione in cui vuole saltare mi è insopportabile. In questo caso preferirei fare il ciabattino o addirittura il croupier in un casinò piuttosto che il fisico.

ALBERT EINSTEIN a MAX BORN, 29 aprile 1924

Questo saggio, che in origine accompagnava la traduzione tedesca della *Scomparsa di Majorana* (*Der Fall Majorana*, Seewald, Stuttgart, 1978, e Ullstein, Frankfurt-Berlin-Wien, 1980), è stato poi riproposto nell'ambito dell'edizione einaudiana (Torino, 1985) del testo di Sciascia.

« "Vivere contro un muro, è vita da cani. Ebbene, gli uomini della mia generazione e di quella che entra oggi nelle fabbriche e nelle facoltà, hanno vissuto e vivono sempre più come cani". Grazie anche alla scienza, grazie soprattutto alla scienza ».[1]

Leonardo Sciascia sceglie le parole di Albert Camus per spiegare i motivi che lo hanno mosso a seguire le tracce di un caso, di un destino umano mai chiarito, che non solo appartiene ormai alla storia della scienza, ma che ha destato inquietudine negli ambienti accademici e intellettuali italiani: un enigma che nessuna polizia è riuscita a sciogliere.

L'accusa delle parole accresce la tensione di un'immagine che potrebbe appartenere ancora alla vita di tutti i giorni, una vita, se si vuole, misera, forse crudele, ma pur sempre quotidiana: un cane e un muro, segni di limitazione della libertà, che è, per gli animali come per

1. Leonardo Sciascia, in «La Stampa», 24 dicembre 1975.

gli uomini, condizione di vita. Quando una situazione senza via d'uscita, che unisce sofferenza animale e grigia quotidianità, diventa immagine dell'impotenza umana – e per spiegarne la causa si ricorre al puro e semplice imperativo del progresso – il lettore si sente chiamato direttamente in causa a riconoscere almeno la via che porta al muro; se possibile, a evitarla e a pensare anche a coloro che, forse, si sono addirittura rifiutati di costruire il muro.

Leonardo Sciascia ha percorso sempre incomode vie. Negli altri suoi libri che ripropongono il tema dei rapporti fra gli occulti meccanismi del potere e la coscienza del singolo, fra la responsabilità individuale e il decorso della storia, la sua finzione letteraria può apparire prima estraniante e incredibile, deformata ed estrema sino all'inverosimile, per finire poi imitata o addirittura superata dalla realtà. Il principio della sua struttura narrativa è determinato dall'intenzione di presentare, in una composizione dal carattere di documentario, all'apparenza un'impartecipe raccolta di materiale – il più delle volte ricavato dalla realtà di avvenimenti storici –, i fatti e la loro successione nella nudità di un rapporto. Il luogo geometrico del racconto riflette il gioco delle proiezioni, le parti del mosaico risultano mobili; il lettore è libero quindi di seguire le istruzioni come di non accettarle, di ordinare gli elementi secondo un altro schema e di considerarlo come la possibile verità.

Non diversamente procede lo scrittore in questo breve romanzo, che gli è costato – come in quasi ognuna delle sue trasformazioni letterarie di fatti avvenuti – il lungo lavoro sui documenti e sulle loro tracce, il faticoso itinerario alla ricerca dei ricordi sepolti, mutati, in un tempo quasi «mitico». La ricerca comincia nel sottobosco degli atti burocratici della polizia fascista, che aveva collegato la scomparsa del giovane fisico Ettore

Majorana a implicazioni di ambiguo carattere politico. Nel marzo del 1938 lo scienziato siciliano si sarebbe imbarcato – stando ai documenti – a Palermo per Napoli, dove non giunse mai. Ritroso, solitario, riservato, il giovane scienziato, che Enrico Fermi definì uno di quei geni che compaiono una, al massimo due volte nel corso di un secolo, aveva trascorso nel 1933 lunghi mesi in Germania, all'Istituto di Fisica dell'Università di Lipsia, da Werner Heisenberg. Nominato titolare della cattedra di Fisica dell'Università di Napoli – le circostanze di questa nomina assumono per Sciascia un significato particolare –, Ettore Majorana viaggiava fra Palermo, Napoli e Roma. Già nel 1938 aveva parlato in alcune lettere alla famiglia e a un amico dell'intenzione di togliersi la vita. Quando sparì, nessuna traccia, nel corso dell'inchiesta aperta per trovare lui o il suo cadavere, portò a un qualche risultato. L'ipotesi della follia come quella del suicidio cominciarono a farsi strada: nell'ambiente siciliano, che per quella dote naturale di fantasioso individualismo crede più al soggettivo «come se fosse» che a una qualsiasi forma oggettiva della realtà esterna, ipotesi e fantasia erano a ugual diritto forme possibili della verità. La famiglia insistette presso il governo italiano affinché le ricerche si estendessero anche ai conventi dell'Italia meridionale. Il silenzioso, introverso giovane professore poteva aver scelto, per paura o insicurezza di fronte ai più grandi interrogativi che la scienza gli poneva, il ritiro assoluto del chiostro, l'impotenza del silenzio. La narrazione letteraria di Sciascia sceglie la libertà di prestar fede a quest'ultima ipotesi piuttosto che credere alle altre, banali, tranquillizzanti soluzioni. Estraneo al suo tempo, presago, Ettore Majorana potrebbe aver riconosciuto e calcolato la potenza dell'energia atomica qualche mese prima che l'avvenuta scissione dell'atomo fosse resa nota e ne giustificasse l'immaginazione. Un terrore verosimile o anche solo il presagio di un orrore imminente avrebbero angosciato la sua coscienza in un conflitto senza soluzione; la sua decisione di scomparire significherebbe il rifiuto dello scienziato, non l'oscura disperazione di un neurotico.

La scienza – si sa – è una irritabile forma del pensiero, e non ha perdonato alla letteratura la sua invenzione; non la tesi della rinuncia alla vita sulla terra, ma la sua motivazione e la sua spiegazione psicologica e scientifica.[1] Leonardo Sciascia, siciliano come Luigi Pirandello e come Ettore Majorana, non ha certo seguito le tracce confuse e sconcertanti della vita del fisico per rendere omaggio al mediterraneo «genio della razza» – in Italia è affiorato anche questo sospetto anacronistico –, per assicurare alla Sicilia un posto nella topografia dei luoghi-patria di intelletti, cosa che al piccolo libro sulla oscura fine di un professore universitario di talento non sarebbe nemmeno riuscita. Eppure la Sicilia esercita nelle pagine di questo breve romanzo un suo diritto genetico, diventa elemento determinante nel destino dei personaggi e nelle loro esperienze: il paesaggio, l'isola, in cui l'ostinazione della vita come in nessun altro paese d'Europa ricopre con vittoriosa tenacia i segni e le tracce della morte e li ritrasforma in vita. Non nella dimensione dell'oscuro virtuosismo del potere, nell'esercizio

1. Il libro è stato accolto in Italia con accese polemiche. Il fisico Edoardo Amaldi ha preso posizione nei suoi confronti nell'«Espresso» del 5 ottobre 1975. Egli ha designato l'ipotesi di Sciascia, che Majorana potesse aver presagito la forza distruttrice dell'energia atomica – cioè la bomba –, come fantasia «priva di fondamento». A suo parere la scienza non sarebbe stata in grado in quegli anni di concepire gli anelli della catena che ancora mancavano per arrivare all'energia nucleare. In Germania la tesi di Sciascia ha incontrato l'attenzione dei protagonisti del dibattito che seguì la scoperta dell'elemento n. 93, Ida Noddack e Fritz Strassmann. Alle loro lettere e reazioni mi riservo di dedicare prossimamente un breve studio.

brutale di interessi particolari, di leggi private – come viene rappresentato fuori dei confini il carattere della vita siciliana –, ma nella struttura immutabile, in cui la forma dell'intelligenza è capace di trasformare un'esterna realtà oggettiva in una verità soggettivamente ambigua. Il problema della perdita della propria identità, dell'alienante estraneità dell'individuo in un mondo che gli appare fittizio e minaccioso, l'inesorabile e tormentoso interrogativo dei rapporti fra la propria esistenza e i riflessi che di essa vengano – da altri – percepiti, è legato nella letteratura moderna al nome del siciliano Luigi Pirandello.

Gli anni Trenta hanno chiamato la cristallizzazione estrema dell'individualismo, la problematica scissione, la frantumazione dell'io nelle schegge delle sue proiezioni psicologiche e biografiche, la decomposizione dell'esistenza nei suoi ruoli esterni, nelle pose tramandate dalla finzione sociale: «pirandellismo», una moda letteraria, e non solo sul teatro europeo.

«Uno strappo nel cielo di carta del teatrino»: con questa metafora di uno strappo nella scena «donde ogni sorta di mali influssi» penetrano dal di fuori sul piccolo palcoscenico, un personaggio di Luigi Pirandello definiva la differenza fra la tragedia antica e quella moderna.

Il piccolo palcoscenico della quotidianità, sul quale uno strappo lascia penetrare influssi fatali, può diventare metafora di una scena più grande, della distrutta immagine del mondo, nella quale uno squarcio lascia intravedere i segreti di sconosciuti nessi, fa affiorare il dubbio sul suo ordine e la sua armonia.

« "Beate le marionette," sospirai "su le cui teste di legno il finto cielo si conserva senza strappi! Non perplessità angosciose, né ritegni, né intoppi, né ombre, né pietà: nulla! E possono attendere bravamente e prender gusto alla loro commedia e amare e tener se stesse in considerazione e in pregio, senza soffrir mai vertigini o capogiri, poiché per la loro statura e per le loro azioni quel cielo è un tetto proporzionato"».[1]

Mattia Pascal, il personaggio del romanzo di Pirandello che così riflette sulla sicurezza protettiva e borghese del cielo di carta, si sottrae alle convenzioni e al penoso, inutile dovere di vivere in conformità al suo ruolo, deponendolo, scomparendo e assumendo un'altra identità.[2] Con l'immagine di questa fuga ambigua, simulata di fronte alla propria esistenza, con la paura di Mattia Pascal di avere le vertigini e di perdere l'equilibrio si può tradurre letterariamente, una volta riconosciuto lo strappo – e il confronto appare facile e legittimo –, l'enigmatica scomparsa di Ettore Majorana. La frase di Edoardo Amaldi, lo scienziato del gruppo intorno a Enrico Fermi e amico di Majorana, che Sciascia ha scelto come motto per il suo racconto – «Prediligeva Shakespeare e Pirandello» – potrebbe far pensare all'idea di un adattamento al ruolo di Mattia Pascal che, se si considerano tutti gli indizi, Majorana potrebbe aver preparato e attuato. Lo strappo in un cielo che si credeva ancora intatto provoca una tragedia più moderna, che non si svolge più come azione esemplare, coperta da un tetto che corrisponde alle sue proporzioni. Nei frammenti, nei relitti che i mali influssi lasciano dietro di sé e che Leonardo Sciascia inserisce nel suo nuovo ordine si riconosce un nucleo di quelle individualistiche interpretazioni della solitudine e dell'impotenza umana di fronte a profondi conflitti, come Pirandello,

1. Luigi Pirandello, *Il fu Mattia Pascal*, in *Tutti i romanzi*, a cura di Giovanni Macchia, Mondadori, Milano, 1973, vol. I, p. 468.
2. Lo stesso Leonardo Sciascia, nel suo libro *Pirandello e la Sicilia*, Salvatore Sciascia, Caltanissetta-Roma, 1961, p. 18, ha interpretato Mattia Pascal come la figura emblematica del modo di vita siciliano.

nello specchio disgregatore della sua rappresentazione, le rivelava alle coscienze delle generazioni del nuovo secolo.

Ettore Majorana prepara la sua rinuncia alla vita, la sua scomparsa; con cura e con meticolosa esattezza mette insieme le parti del suo piano, per abituare all'idea della morte, vera o finta, in modo enigmatico, la famiglia e le poche persone che gli erano vicine, perfino i rappresentanti della vita «ufficiale». Sciascia offre al lettore attento i primi indizi: il desiderio di isolamento di Ettore Majorana, il suo bisogno di solitudine:

«Torna dunque da Lipsia forse con un programma di lavoro, ma certamente vagheggiando la solitudine. E dal momento in cui torna a Roma, da quell'agosto romano in cui certo sarà riuscito a spuntarla a restare solo in casa, ad essere come solo nella città, farà di tutto per vivere, pirandellianamente, da "uomo solo"».[1]

Un uomo solitario, uno dei molti nella grande anonimità della strada, come quell'uno fra mille nel romanzo di Pirandello *Uno, nessuno e centomila*:

«Io volevo esser solo in un modo affatto insolito, nuovo. Tutt'al contrario di quel che pensate voi: cioè *senza me* e appunto *con un estraneo attorno*.

«Vi sembra già questo un primo segno di pazzia? ...

«Poteva già essere in me la pazzia, non nego; ma vi prego di credere che l'unico modo d'esser soli veramente è questo che vi dico io».[2]

Il protagonista del romanzo – Sciascia lo nomina chiaramente come un possibile, riconoscibile modello per l'atteggiamento di Majorana – scopre questo nuovo modo di essere solo nel momento in cui abbandona l'esistenza borghese per condurre una vita diversa, l'altra

1. Si veda sopra, p. 59.
2. Luigi Pirandello, *Uno, nessuno e centomila*, in *Tutti i romanzi*, cit., vol. II, p. 748.

vita sconosciuta e senza memoria. Egli sfugge – o piuttosto crede, nell'anonimità di un asilo, di sfuggire a una trappola – alla trappola in cui i «fatti» della vita, ciò che non si può cambiare, tengono prigioniero l'uomo. Tempo, spazio, necessità sono per il personaggio di *Uno, nessuno e centomila* «trappole». La metafora della trappola, che scatta anche su Majorana ed è tragica allegoria della carriera accademica e delle sue leggi, riconduce alle metafore esistenziali nel mondo raccontato di Luigi Pirandello.

«E questo si può senz'altro ammettere: che si sentisse ormai in trappola – nella trappola di una "normalità" che lo costringeva ad andare avanti, a pubblicare...».[1] Questo significava per Majorana rimanere sullo stesso piano su cui si trovava allora Enrico Fermi, il «papa» allora al potere.

Sciascia riprende, nell'ambiguità stilistica che ritiene forma adeguata per rappresentare ogni realtà ambigua e ambivalente, la metafora di Pirandello e lascia indovinare ai lettori che trappola pericolosa e micidiale può diventare la scienza, quando l'azione combinata dei «dati» tempo, spazio, evento mette in moto il suo meccanismo. E la «trappola» può evocare solo l'immagine dell'animale; che, attirato fuori strada, crede di trovare la via giusta nell'imboccare un'entrata, ma essa può significare la costrizione di continuare a vivere nella grande gabbia della scienza, prigioniero dei suoi costruttori. Il rifiuto di servirli, anche quando – come nel caso di Majorana – si appartiene alla scienza in maniera esistenziale, rimane l'appello che l'enigma intorno al giovane fisico italiano scomparso rivolge ai lettori.

«La verità è figlia del tempo e non dell'autorità. La

1. Si veda sopra, p. 64.

nostra ignoranza è infinita: diminuiamola almeno di un millimetro cubo! ».[1]

Durante l'esilio in Danimarca, alla fine degli anni Trenta, Bertolt Brecht aveva scelto la figura di Galilei per raccontare sul suo palcoscenico, quale nuova parabola e ammonimento, la storia della responsabilità e della libertà dello scienziato di fronte alle istanze del potere.[2]

«Dove la verità possa condurre, è forse cosa che turba lo scienziato?». L'impulso della ricerca che muove la coscienza di Galilei viene rappresentato da Brecht come un fenomeno sociale che lo guida su un terreno pericoloso. Nell'ambivalenza del suo conflitto – rifiutare o adattarsi –, che lo condusse ad optare per una scienza specializzata e strettamente delimitata, è già presente l'interrogativo che Leonardo Sciascia propone come quello della tormentosa coscienza di Majorana. Il problema della responsabilità dello scienziato e dei suoi limiti ha già raggiunto l'importanza di un nuovo genere letterario, se si vuol considerare il «dramma» che porta sulla scena i fisici la forma strutturalmente più adatta alla trasposizione letteraria del tema. La letteratura tedesca lo definisce «Physikerdrama».

Die Physiker, di Friedrich Dürrenmatt, scritto nel 1962, può rappresentare esemplarmente molte altre opere teatrali di contenuto analogo[3] e assumere la funzione

1. Bertolt Brecht, *Vita di Galileo*, a cura di Emilio Castellani, Einaudi, Torino, 1963, p. 56.
2. «Quando, nei primi anni del mio esilio, stavo scrivendo in Danimarca il dramma *Vita di Galileo*, nella mia ricostruzione dell'idea tolemaica dell'universo fui aiutato da alcuni assistenti di Niels Bohr, che stavano studiando il problema della disintegrazione dell'atomo». B. Brecht, *Sulla «Vita di Galileo»*, Premessa alla versione americana, in *Vita di Galileo*, cit., p. 137.
3. Oltre al più noto dramma di Heinar Kipphardt, *In der Sache J. Robert Oppenheimer* (trad. it. *Sul caso di J. Robert Oppenheimer*, Einaudi,

emblematica che decenni prima, negli anni della scoperta della scissione dell'atomo, aveva esercitato il *Galileo* di Brecht. Il fisico Möbius, nel dramma di Dürrenmatt, rinnega la sua scienza, perché essa può solo nuocere all'umanità: «Siamo giunti, nella nostra scienza, ai confini dello scibile ... Abbiamo raggiunto il traguardo del nostro cammino. Ma l'umanità non c'è ancora arrivata ... La nostra scienza è diventata tremenda, la nostra ricerca pericolosa, la nostra conoscenza mortale. Non resta per noi fisici che la capitolazione di fronte alla realtà ... Dobbiamo rinnegare la scienza, e io l'ho rinnegata. Non c'è nessun'altra soluzione, nemmeno per voi».[1]

Questo rinnegare un sapere già acquisito, la scelta di un singolo, la decisione di un uomo solitario, vengono recitati su una scena che rappresenta un manicomio. Entro le sue mura i fisici, che vengono creduti folli perché hanno dichiarato la loro pazzia per sottrarsi al potere politico del mondo esterno, si credono liberi e innocenti. «Pazzi, ma saggi, prigionieri, ma liberi, fisici, ma innocenti». Per sfuggire alla prigione, scelgono il manicomio. La loro simulata follia diventa realtà, la frattura della loro realtà si rispecchia nel gioco inutile dell'esistenza simulata. Nel campo metaforico, in cui sono trasposte le fasi e le forme della rappresentazione del conflitto fra ricerca di nuove verità sempre più avanzate e rinuncia alla scienza, sono presenti quali elementi costanti i segni che delimitano quella diversa, «libera» zona della vita, che i «normali» identificano con la pazzia.

I personaggi di Pirandello, come le figure dei fisici di Dürrenmatt, come lo scomparso, enigmatico, geniale

Torino, 1964), cfr. *Der staubige Regenbogen* di Hans Henny Jahnn, *Das kalte Licht* di Carl Zuckmayer e *Die chinesische Mauer* di Max Frisch.

1. Friedrich Dürrenmatt, *Die Physiker*, in *Komödien II und frühe Stücke*, Verlag der Arche, Zürich, 1963, p. 342 (trad. it. *I fisici*, Einaudi, Torino, 1972, pp. 69-70).

Majorana, visto da Leonardo Sciascia, vivono appunto nello spazio libero, che lascerebbe penetrare troppa inquietudine e troppo disordine, se il passaggio fra il piccolo palcoscenico della quotidianità e quello spazio rimanesse aperto e sgombro, chiaro e riconoscibile. Quando lo strappo della vecchia scena diventa frattura, scissione, tenta – o costringe – all'idea di superare, di varcare quei confini che si credevano fissi, e che possono essere i tranquilli confini della conoscenza, delle teorie ammesse, delle scoperte raggiungibili; possono anche definire la linea sottile che divide l'audacia del rischio dalla temerarietà, l'analisi dalla disgregazione, l'intelligenza non quotidiana dalla follia, il piacere della negazione dalla distruzione, dall'annientamento, dalla morte.

Riprendendo l'interpretazione dell'ultima avventura di Ulisse nell'inferno dantesco, Sciascia sembra voler ricondurre a quella invisibile e pericolosa linea di confine la sua idea del mito di Odisseo. E questo gli permette di spiegare la misteriosa scomparsa di Majorana come l'intenzione di mitizzare la propria figura, di inserirla nel contesto della tradizione europea, e di darle quella dimensione che da sempre unisce l'ardimento dell'intelletto alla punizione o alla vittoria sulla morte. Il mare, che si richiude sull'ultimo viaggio di Odisseo e lo inghiotte, diventa metafora di un atteggiamento intellettuale che basta trasporre nella realtà perché riacquisti l'esemplarità del mito. Il mare siciliano avrebbe dovuto costituire già la risposta, la spiegazione di una scomparsa che altro non era se non rinuncia e inflessibile rifiuto. Il – forse – simulato ritorno all'armonia del tutto voleva essere rifugio e fuga dal disgregarsi di quel tutto che non poteva più ricostituirsi: non nei calcoli scientifici di Majorana e non nella futura realtà del mondo.

Anche se la curiosità del lettore viene continuamente imbrigliata dall'insicurezza delle ipotesi, anche se la ricostruzione esatta e rigorosa dei dati del «caso» Majorana conferma l'impressione che si tratti del racconto di una realtà fissata negli atti della polizia, con l'intenzione di una certa suspense criminalistica – non diversamente ha composto Stendhal le figure e i fatti dei suoi romanzi –, non si dovrebbe tuttavia misconoscere l'esemplarità della biografia di uno scienziato atomico che può rappresentare una generazione intera di intellettuali.

Ettore Majorana distrugge i suoi innumerevoli disegni, i suoi calcoli, i suoi lavori, annienta la possibilità di esprimersi, gli strumenti del suo linguaggio scientifico. La sua decisione – rinunciare come uomo per tacere come scienziato – lo avvicina, agli occhi del lettore, in dubbio sul nostro tempo, a un'altra figura della letteratura moderna che, all'inizio del secolo, traduce emblematicamente l'incongruenza della propria ricerca con la disgregazione delle componenti della sua realtà. Hugo von Hofmannsthal ha espresso il disagio e il timore del suo tempo in una lettera, il cui autore fittizio si rivolge a Francis Bacon. Le parole sono dirette a quel «padre della scienza sperimentale» che – come disse Bertolt Brecht – «non per niente scrisse la frase che per comandare alla natura bisogna obbedirle»:[1]

«Così come una volta avevo visto attraverso una lente d'ingrandimento un pezzetto di pelle del mio dito mignolo, che pareva un campo incolto pieno di solchi e di caverne, la stessa cosa mi accadeva ora con gli uomini e con le loro azioni. Non mi riusciva più di afferrarle con lo sguardo semplificante dell'abitudine. Tutto mi si disfaceva in parti, e le parti a loro volta in altre parti e niente si lasciava più circoscrivere in un'idea».[2]

1. Bertolt Brecht, *Entwürfe für ein Vorwort zu «Leben des Galilei»*, in *Gesammelte Werke*, Suhrkamp, Frankfurt am Main, 1967, vol. XVII, p. 1113 (trad. it. *Appunti per una prefazione a «Vita di Galileo»*, in *Scritti teatrali*, Einaudi, Torino, 1975, vol. III, pp. 154-57).
2. «Questa è la lettera che Philipp Lord Chandos ... scrisse a Fran-

Lord Chandos rinuncia alla lingua, alle parole, capaci di esprimere concetti pensati, con la stessa atterrita coscienza delle loro conseguenze con cui più tardi Dürrenmatt farà dire ai suoi fisici: «Una volta che si sia pensata una cosa, non la si può più ritirare». Lettere, sillabe, come numeri e cifre, leggibili e componibili a piacere, che però il giovane scienziato italiano, non diversamente da Lord Chandos, non voleva conoscere, rendere leggibili, ma desiderava spegnere nella grande metafora di annientamento del mare. Questa rete di rapporti può sembrare all'inizio solo misura di una topografia letteraria; i richiami vorrebbero invece indicare una direzione che potrebbe ricondurli e legarli a un senso comune: la dialettica delle «due culture», dell'intelligenza letteraria e di quella scientifica, che tanta fortuna ha avuto nella discussione pubblica e che nel caso di Majorana racchiude un'ulteriore differenziazione e può apparire esemplare, non solo per il fisico siciliano.

In Europa l'intelligenza scientifica, fino alla fine degli anni Trenta e soprattutto in ambiente italiano, veniva associata e identificata con l'idea della scienza tedesca; un difficile mito. Se si inseguono le tracce di questa equazione di scientificità, si scoprono anche gli elementi di un rapporto che non segna solo le tappe delle scoperte della fisica atomica. Luigi Pirandello aveva studiato filologia in Germania con Wendelin Förster, il venerabile maestro di linguistica romanza: molti aspetti della sua opera rimarrebbero oscuri, se non si tenesse conto del suo incontro con la filosofia tedesca e con la cultura del paese in cui era nato il romanticismo. Il rigore

cis Bacon ... per scusarsi presso l'amico della rinuncia totale all'attività letteraria». Hugo von Hofmannsthal, *Ein Brief*, in *Gesammelte Werke*, Prosa II, Fischer, Frankfurt am Main, 1951, p. 14 (trad. it. *La lettera di Lord Chandos*, in *Opere*, a cura di Leone Traverso, Sansoni, Firenze, 1958, vol. IV, pp. 39 sgg.).

e la disciplina della scienza tedesca erano diventati per molti giovani studiosi l'ambizione catalizzatrice delle proprie riflessioni: il breve o lungo periodo trascorso in Germania assumeva il significato di una prova e di una presa di coscienza, diventava confronto e a volte sfida con le nuove categorie del pensiero, come la fisica e la psicanalisi.

Anche questo capitolo, avvio alla maturità, non manca nella vita di Majorana. È il tempo trascorso a Lipsia, l'incontro con Werner Heisenberg. Poco prima della sua morte, Heisenberg ha letto i capitoli che Sciascia ha scritto sul soggiorno di Majorana nel suo istituto. Heisenberg ha ritrovato in quelle pagine il ricordo che aveva di lui e di quel periodo.[1] Sciascia crede di poter capire il motivo per cui la figura del fisico tedesco avesse assunto un significato così importante per l'ospite italiano dell'Istituto di Lipsia: «Era un filosofo».

Se si leggono i capitoli che Werner Heisenberg, nel suo libro *Gespräche im Umkreis der Atomphysik*, ha consacrato ai ricordi degli anni dal 1930 al 1933, già i titoli permettono di riconoscere la problematica del confronto delle «due» culture, e il titolo del libro *Der Teil und das Ganze* (*La parte e il tutto*) tradisce lo sforzo di individuare un tutto, di pensare le parti in una struttura coerente e non di analizzare le esperienze della loro disintegrazione. Lo scienziato tedesco, famoso e riconosciuto, che era riuscito ad unire nella sua genialità la vita, il senso della comunità e dell'amicizia, e che da esse traeva la sua forza, che non escludeva dalla propria esistenza collettività e vita attiva, ha pubblicato la teoria che già prima Majorana – come confermano i ricordi di Laura Fermi e di altri – aveva scarabocchiato su un pacchetto di sigarette e poi gettato via.

1. Lettera del 27 gennaio 1976, segreteria del prof. Heisenberg.

Se si volessero cercare in questo rapporto umano, che unisce un giovane scienziato ad una figura che avrebbe potuto facilmente assumere i tratti di un « papa » e non lo fece, i fili sottili della simpatia e dell'ammirazione, li si potrebbe forse trovare nel tessuto dei desideri convergenti verso la diversa, la positiva, l'affermativa proiezione del proprio io. La conoscenza di Werner Heisenberg potrebbe aver significato per Majorana qualcosa come un transfert scientifico, una trasposizione della responsabilità. Quando Heisenberg, nel 1932, pubblicò la sua teoria sui processi della scissione, Majorana espresse l'opinione che lo scienziato tedesco avesse « detto tutto ».[1]

Non c'era più nulla da comunicare. Almeno per lui che coscientemente o forse inconsciamente sentiva come qualcuno che ammirava, non separato dallo stesso silenzioso distacco con cui guardava a Enrico Fermi, apparteneva al suo stesso ordine di idee.

Era Werner Heisenberg che negli oscuri anni Quaranta, nella Prefazione alle *Wandlungen in den Grundlagen der Naturwissenschaft* (*Mutamenti nei principi della scienza naturale*) (1942), scriveva:

« I singoli passi della ricerca scientifica sono spesso così complessi, la loro spiegazione così difficile che essi possono essere seguiti solo dal piccolo gruppo degli specialisti. Le svolte decisive però interessano una grande cerchia di persone e devono poter essere comprese anche nell'ambito di questa più larga cerchia ... L'autore è convinto che questa situazione – come uno dei segni premonitori di un mutamento dei tempi – annunci un cambiamento in profondità nella struttura dell'intera realtà; e con la parola realtà si intende qui l'insieme dei rapporti reci-

1. Majorana si riferisce all'articolo *Über die durch Ultrastrahlung hervorgerufenen Zertrümmerungsprozesse*, in « Die Naturwissenschaften », XX, 1932, pp. 360-66.

proci e delle connessioni fra la coscienza formante e il mondo quale suo contenuto oggettivabile».

Questo «cambiamento in profondità nella struttura dell'intera realtà», che, quale svolta decisiva, interessa «una grande cerchia di persone» e non solo pochi scienziati, Ettore Majorana poteva averlo previsto nelle formule e nei calcoli, nelle linee astratte dei suoi quaderni distrutti.

«È storia ormai a tutti nota che Fermi e i suoi collaboratori ottennero senza accorgersene la fissione (allora scissione) del nucleo di uranio nel 1934. Ne ebbe il sospetto Ida Noddack: ma né Fermi né altri fisici presero sul serio le sue affermazioni se non quattro anni dopo, alla fine del 1938. Poteva benissimo averle prese sul serio Ettore Majorana, aver visto quello che i fisici dell'Istituto romano non riuscivano a vedere».[1]

La storia dell'esperimento che doveva fornire il supposto elemento n. 93 nel sistema periodico degli elementi chimici e che in realtà però fu la prima scissione nucleare, ha rappresentato uno degli episodi più affascinanti della storia della fisica atomica e della scienza in generale.

Leonardo Sciascia nella catena di avvenimenti che in quegli anni, casuali e lenti o faticosi ed entusiasmanti, si svolgevano nei laboratori europei, crede di scoprire il contesto che forse potrebbe aver motivato la scomparsa del fisico italiano nell'oscuro della sua coscienza, al di là dell'ipotesi del suicidio, della rinuncia neurotica alla vita perché dalla scienza si sentiva escluso dalla realtà.

Ida Tacke-Noddack, la scienziata berlinese che nel 1925 aveva scoperto, insieme al marito Walter Noddack, l'elemento renio, e che da molti anni si occupava della ricerca dell'elemento chimico ancora mancante

1. Si veda sopra, p. 82.

nel sistema periodico, fu pregata dalla redazione della rivista «Angewandte Chemie» di recensire criticamente la prima pubblicazione sull'elemento 93 di Fermi.

La giovane studiosa scrisse allora un breve articolo,[1] una pagina e mezzo, due colonne. Esse appartengono oggi ai documenti di quegli anni in cui l'originalità e l'apertura intellettuale furono appena turbate dalle intromissioni esterne che la vita accademica così facilmente sa esasperare. Una pagina e mezzo che oggi, se per caso fossero reperibili, per esempio in un antiquariato svizzero, avrebbero un valore quasi tre volte superiore a quello degli estratti di un articolo di Sigmund Freud. In modo chiaro e deciso Ida Noddack espresse nel 1934 per prima i suoi dubbi; se l'elemento scoperto da Fermi fosse veramente un transuranico e si dovesse considerare come l'elemento 93. Essa criticava la «prova» fornita da Fermi come non completa e insoddisfacente: «Questa è una dimostrazione che non tiene»[2] scrisse.

Se si rilegge la critica chiaramente espressa da Ida Noddack dopo che il racconto di Sciascia ha riportato il ricordo della figura di Majorana, si è tentati di capire che effetto possa avere avuto: sui giovani fisici della scuola romana, che in via Panisperna avevano il loro «papa» in Enrico Fermi e in lui credevano, e sul silenzioso, taciturno antagonista Ettore Majorana che, sensibile e chiuso nel suo nascosto orgoglio scientifico, cal-

1. Ida Noddack, *Über das Element 93*, in «Angewandte Chemie», XLVII, 37, 1934. Cfr. inoltre *Das Periodische System der Elemente und seine Lücken*, in «Angewandte Chemie», XLVII, 20, 1934, pp. 301-305.
2. «La dimostrazione che il nuovo elemento radioattivo ha il numero d'ordine 93 non è dunque affatto riuscita, visto che finora Fermi l'ha tentata solo procedendo per esclusione, e nemmeno in modo esauriente» (*Über das Element 93*, cit.).

colava tabelle e teorie e controllava il lavoro e le tesi del «papa».

La critica a Fermi veniva dalla Germania, un anno dopo il ritorno di Majorana da Lipsia. Sapeva leggere il tedesco; l'ostacolo di molti scienziati italiani per lui non esisteva. La critica potrebbe averlo stimolato a una di quelle gare volontarie di cui raccontano Laura Fermi e Sciascia: «Fermi con carta, matita e regolo calcolatore, Majorana senza nulla, a mente. Ci misero lo stesso tempo».[1]

Ma la critica di Ida Noddack esprimeva anche una nuova possibile idea: «Si può a ugual diritto supporre che attraverso queste nuove scissioni nucleari per mezzo di neutroni avvengano altre considerevoli "reazioni nucleari" ... È concepibile che nel processo di bombardamento di nuclei pesanti per mezzo di neutroni questi nuclei si disgreghino in *più* frammenti di una certa grandezza...».

La scienziata berlinese scrisse allora «si disgreghino ... È concepibile...». Ettore Majorana può anche aver preso quella supposizione come occasione per qualche suo serio «gioco», come stimolo per valutare le ipotesi e i risultati anche in modo diverso da come era stato fatto in via Panisperna. Si potrebbe invece immaginare a fatica che fosse rimasto indifferente di fronte alla critica mossa a Enrico Fermi, che non l'avesse nemmeno presa in considerazione. Ida Noddack mi scrive: «Subito dopo la pubblicazione nel tardo autunno del 1934 inviai una copia dell'articolo *Sull'elemento 93* al professor Fermi e sono convinta che Majorana l'abbia letto. Esattamente deve saperlo il professor Emilio Segrè, con cui ne parlammo anche nel 1938».

Se Majorana dunque avesse letto l'articolo di Ida

1. Laura Fermi, *Atomi in famiglia*, Mondadori, Milano, 1954, p. 58.

Noddack, è ovvio che avrebbe potuto riflettere sulle lacune nella dimostrazione di Fermi e voluto, addirittura, verificare la tesi su di essa basata. L'idea, la possibilità espressa da Ida Noddack avrebbe potuto stimolarlo una volta di più a calcolare per conto suo chi avesse ragione, la scienziata berlinese con la sua critica o il «papa»; e avrebbe potuto calcolare – il suo talento matematico glielo permetteva – ciò che alcuni mesi dopo la sua scomparsa, all'inizio del 1939, fu reso noto a tutto il mondo da Otto Hahn.

Il breve periodo di tempo fra i due avvenimenti potrebbe essere uno dei segni che accompagnano la vita di Majorana; il segno dell'anticipazione indotto dalla chiarezza dell'analisi particolarmente rigorosa dei fatti e dei fenomeni del presente e che era in lui unito al segno della negazione del suo valore e a quello del rifiuto.

Ettore era atterrito anche solo dall'idea di pubblicare qualcosa e dal pensiero che qualsiasi estraneo potesse penetrare nei suoi pensieri. « "Non ne vale la pena. È roba da bambini!" ... Majorana aveva pensato e calcolato la teoria di Heisenberg, del nucleo fatto di protoni e neutroni, prima che Heisenberg la pubblicasse, ma non la scrisse mai ».[1]

Così racconta Laura Fermi e così raccontavano i «ragazzi» dell'istituto romano, alla cui ambizione scientifica e alla cui curiosità aperta e vitale quello scarabocchiare su pacchetti vuoti di sigarette, l'abitudine di Ettore, appariva così strana maniera di scrivere e di lavorare; senza il bisogno della partecipazione, senza la compensazione del riconoscimento, sia pure nella cerchia degli specialisti, considerati allora come esoterici.

Se si ripensa alla storia che ha accompagnato l'«idea», l'intuizione di Ida Noddack, una scienziata sog-

1. *Ibid.*, p. 59.

getta, come Lise Meitner, al sistema della supremazia maschile esercitata nel mondo accademico, e ancora più rigida dopo l'ascesa di Hitler al potere, si è tentati di vedere anche soltanto nell'interesse, nella disponibilità a riconoscere il problema e a trovarlo degno di considerazione, quella condizione che avrebbe permesso nuove conoscenze scientifiche. Chi, fisico teorico e non chimico come invece era Ida Noddack, non si fosse mostrato scettico e prevenuto nei confronti di esperimenti puramente chimici, avrebbe potuto forse controllare e superare le fasi del dubbio.[1] Il racconto letterario di questa disposizione intellettuale e psichica, come Sciascia la interpreta, non vuole avere la pretesa di aver scoperto la verità e nemmeno di offrire la soluzione dell'enigma della scomparsa di Majorana, poiché l'interrogativo sulla maniera e il motivo della sua scomparsa resta insoluto.

Tuttavia, ai lettori che concludono con l'autore il patto di leggere la sua storia, essa vorrebbe trasmettere quella convinzione soggettiva che, ricavata dalla realtà, esercita nel romanzo come finzione la sua forza di persuasione.

Se sia stato veramente un terribile presentimento a costringere Majorana a rinunciare alla scienza, forse alla vita, è discutibile come qualsiasi altra affermazione di una verità oggettiva che sia dedotta da processi psicologici. Nonostante lo scetticismo di molti fisici, che con la severità e il rigore propri alla loro scienza misurano an-

---

1. Cfr. Ida Noddack, *Bemerkung zu den Untersuchungen von O. Hahn, L. Meitner und F. Strassmann über die Produkte, die bei der Bestrahlung von Uran mit Neutronen entstehen*, in «Die Naturwissenschaften», XXVII, 1939, pp. 212-13, e Giorgio Dragoni, *L'illusoria scoperta del primo elemento transuranico*, in «Physis», XV, 4, 1973. Cfr. Robert Jungk, *Heller als tausend Sonnen. Das Schicksal der Atomforscher*, Scherz & Goverts, Stuttgart, 1956, p. 71 (trad. it. *Gli apprendisti stregoni. Storia degli scienziati atomici*, Einaudi, Torino, 1958).

che lo spazio della letteratura e la sua libertà di rivendicarlo, legittima resta la ricerca dei motivi e dei fatti ricostruibili, noti, per capire l'intenzione e la funzione della trasposizione letteraria.

Anche se si suppone che Ettore Majorana sia davvero scomparso in un convento di certosini, in una fortezza nel bosco più folto, che abbia veramente vissuto in una di quelle celle col davanzale della finestra come piano per scrivere e che Le Corbusier trovava così funzionale... – la sua storia raccontata vuole esprimere il malessere esistenziale, l'insicurezza, l'ansia profonda, la perduta fede in un mondo ancora comprensibile e governabile con categorie umane.

Essa adempie una funzione della letteratura, quella di essere una forza liberatrice. Nella metafora di Camus potrebbe sostituire l'urlo – l'urlo potrebbe allargarsi: per non vivere da cani solo perché la scienza ha costruito quel muro, contro il quale abbaiare può essere soltanto disperazione.

Ringrazio Ida Noddack, Elisabeth Heisenberg e Christine Mann Heisenberg per il loro gentile aiuto.

GLI ADELPHI

ULTIMI VOLUMI PUBBLICATI:

500. Roberto Calasso, *L'ardore*
501. Giorgio Manganelli, *Centuria*
502. Emmanuel Carrère, *Il Regno*
503. Shirley Jackson, *L'incubo di Hill House*
504. Georges Simenon, *Il piccolo libraio di Archangelsk*
505. Amos Tutuola, *La mia vita nel bosco degli spiriti*
506. Jorge Luis Borges, *L'artefice*
507. W. Somerset Maugham, *Lo scheletro nell'armadio*
508. Roberto Bolaño, *I detective selvaggi*
509. Georges Simenon, *Lo strangolatore di Moret e altri racconti*
510. Pietro Citati, *La morte della farfalla*
511. Sybille Bedford, *Il retaggio*
512. *I detti di Confucio*, a cura di Simon Leys
513. Sergio Solmi, *Meditazioni sullo Scorpione*
514. Giampaolo Rugarli, *La troga*
515. Alberto Savinio, *Nuova enciclopedia*
516. Russell Hoban, *La ricerca del leone*
517. J. Rodolfo Wilcock, *Lo stereoscopio dei solitari*
518. Georges Simenon, *La fioraia di Deauville e altri racconti*
519. Abhinavagupta, *Luce dei Tantra*
520. Yasmina Reza, *Felici i felici*
521. Roberto Calasso, *L'impuro folle*
522. James Stephens, *La pentola dell'oro*
523. W. Somerset Maugham, *Una donna di mondo e altri racconti*
524. Anna Maria Ortese, *Alonso e i visionari*
525. Theodore F. Powys, *Gli dèi di Mr. Tasker*
526. Groucho Marx, *Groucho e io*
527. David Quammen, *Spillover*
528. Georges Simenon, *Il Club delle Vecchie Signore e altri racconti*
529. Mervyn Peake, *Gormenghast*
530. Ferenc Karinthy, *Epepe*
531. Georges Simenon, *Cargo*
532. Patrick Leigh Fermor, *Tempo di regali*
533. Vladimir Nabokov, *Ada o ardore*
534. Knut Hamsun, *Pan*
535. Irène Némirovsky, *La preda*
536. Neil MacGregor, *Il mondo inquieto di Shakespeare*
537. Christopher Isherwood, *Addio a Berlino*
538. George G. Byron, *Un vaso d'alabastro illuminato dall'interno*

539. Martin Heidegger, *Nietzsche*

540. Heinrich Zimmer, *Miti e simboli dell'India*

541. Georges Simenon, *Il fiuto del dottor Jean e altri racconti*

542. Pietro Citati, *La mente colorata*

543. Georges Simenon, *In caso di disgrazia*

544. Anna Maria Ortese, *Il porto di Toledo*

545. Joseph Roth, *Il mercante di coralli*

546. Jorge Luis Borges, *Il libro di sabbia*

547. Nancy Mitford, *Non dirlo ad Alfred*

548. Giovanni Mariotti, *Storia di Matilde*

549. Irène Némirovsky, *Il signore delle anime*

550. Luciano, *Una storia vera*

551. Georges Simenon, *Il morto piovuto dal cielo e altri racconti*

552. Roberto Calasso, *Il rosa Tiepolo*

553. Shirley Jackson, *Lizzie*

554. Georges Simenon, *La vedova Couderc*

555. Christopher Isherwood, *Un uomo solo*

556. Daniel Defoe, *La vita e le avventure di Robinson Crusoe*

557. Marcel Granet, *Il pensiero cinese*

558. Oliver Sacks, *Emicrania*

559. Georges Simenon, *La Marie del porto*

560. Roberto Bazlen, *Scritti*

561. Lawrence Wright, *Le altissime torri*

562. Gaio Valerio Catullo, *Le poesie*

563. Sylvia Townsend Warner, *Lolly Willowes*

564. Gerald Durrell, *Il picnic e altri guai*

565. William Faulkner, *Santuario*

566. Georges Simenon, *Il castello dell'arsenico e altri racconti*

567. Michael Pollan, *In difesa del cibo*

568. Han Kang, *La vegetariana*

569. Thomas Bernhard, *Antichi Maestri*

570. Fernando Pessoa, *Una sola moltitudine, I*

571. James Hillman, *Re-visione della psicologia*

572. Edgar Allan Poe, *Marginalia*

573. Meyer Levin, *Compulsion*

574. Roberto Calasso, *Il Cacciatore Celeste*

575. Georges Simenon, *La cattiva stella*

576. I.B. Singer, *Keyla la Rossa*

577. E.M. Cioran, *La tentazione di esistere*

578. Carlo Emilio Gadda, *La cognizione del dolore*

579. Louis Ginzberg, *Le leggende degli ebrei*

580. Leonardo Sciascia, *La strega e il capitano*
581. Hugo von Hofmannsthal, *Andrea o I ricongiunti*
582. Roberto Bolaño, *Puttane assassine*
583. Jorge Luis Borges, *Storia universale dell'infamia*
584. Georges Simenon, *Il testamento Donadieu*
585. V.S. Naipaul, *Una casa per Mr Biswas*
586. Friedrich Dürrenmatt, *Il giudice e il suo boia*
587. Franz Kafka, *Il processo*
588. Rainer Maria Rilke, *I quaderni di Malte Laurids Brigge*
589. Michele Ciliberto, *Il sapiente furore*
590. David Quammen, *Alla ricerca del predatore alfa*
591. William Dalrymple, *Nove vite*
592. Georges Simenon, *La linea del deserto e altri racconti*
593. Thomas Bernhard, *Estinzione*
594. Emanuele Severino, *Legge e caso*
595. Georges Simenon, *Il treno*
596. Georges Simenon, *Il viaggiatore del giorno dei Morti*
597. Georges Simenon, *La morte di Belle*
598. Georges Simenon, *Annette e la signora bionda*
599. Oliver Sacks, *Allucinazioni*
600. René Girard, *Il capro espiatorio*
601. Peter Cameron, *Coral Glynn*
602. Jamaica Kincaid, *Autobiografia di mia madre*
603. Bert Hölldobler - Edward O. Wilson, *Formiche*
604. Roberto Calasso, *L'innominabile attuale*
605. Vladimir Nabokov, *Parla, ricordo*
606. Jorge Luis Borges, *Storia dell'eternità*
607. Vasilij Grossman, *Uno scrittore in guerra*
608. Richard P. Feynman, *Il piacere di scoprire*
609. Michael Pollan, *Cotto*
610. Matsumoto Seichō, *Tokyo Express*
611. Shirley Jackson, *Abbiamo sempre vissuto nel castello*
612. Vladimir Nabokov, *Intransigenze*
613. Paolo Zellini, *Breve storia dell'infinito*
614. David Szalay, *Tutto quello che è un uomo*
615. Wassily Kandinsky, *Punto, linea, superficie*
616. Thomas Bernhard, *Il nipote di Wittgenstein*
617. Lev Tolstoj, *La morte di Ivan Il'ič, Tre morti e altri racconti*
618. Emmanuel Carrère, *La settimana bianca*
619. *A pranzo con Orson. Conversazioni tra Henry Jaglom e Orson Welles*

620. Mark O'Connell, *Essere una macchina*

621. Oliver Sacks, *In movimento*

622. Fleur Jaeggy, *Sono il fratello di XX*

623. Georges Simenon, *Lo scialle di Marie Dudon*

624. Eugène N. Marais, *L'anima della formica bianca*

625. Ludwig Wittgenstein, *Pensieri diversi*

626. Georges Simenon, *Il fidanzamento del signor Hire*

627. Robert Walser, *I fratelli Tanner*

628. Vladimir Nabokov, *La difesa di Lužin*

629. Friedrich Dürrenmatt, *Giustizia*

630. Elias Canetti, *Appunti 1942-1993*

631. Christina Stead, *L'uomo che amava i bambini*

632. Fabio Bacà, *Benevolenza cosmica*

633. Benedetta Craveri, *Gli ultimi libertini*

634. Kenneth Anger, *Hollywood Babilonia*

635. Matsumoto Seichō, *La ragazza del Kyūshū*

636. Georges Simenon, *Il capanno di Flipke*

637. Vladimir Nabokov, *Lezioni di letteratura*

638. Igino, *Miti*

639. Anna Politkovskaja, *La Russia di Putin*

640. I.J. Singer, *La pecora nera*

641. Inoue Yasushi, *Ricordi di mia madre*

642. Rebecca Skloot, *La vita immortale di Henrietta Lacks*

643. Oliver Sacks, *Vedere voci*

644. Leonora Carrington, *Il cornetto acustico*

645. Anna Politkovskaja, *Diario russo*

646. Anna Politkovskaja, *Per questo*

647. Michael Pollan, *Come cambiare la tua mente*

648. Georges Simenon, *Turista da banane*

649. Kuki Shūzō, *La struttura dell'iki*

STAMPATO DA ELCOGRAF STABILIMENTO DI CLES